Anne KNECHT-BOYER

Jouer avec son bébé

30 idées d'activités d'éveil et de jeux amusants
de 0 à 1 an

VIGOT

Table des matières

Jouer avec son bébé

Introduction

Pourquoi ce livre ?

Nombre des parents participant à mes cours me demandent quels types de jouets acheter pour développer l'intelligence de leurs enfants. Les motifs en noir et blanc sont-ils vraiment efficaces ? La musique de Mozart peut-elle réellement augmenter le Q.I. de leur bébé ? Cela vaut-il la peine d'investir dans des jouets interactifs électroniques ? Voici ce que je leur réponds : tous les parents disposent naturellement du jouet le plus stimulant pour leur enfant, et qui provoquera chez lui les meilleures réactions. Il leur suffit de se regarder dans un miroir pour le trouver.

Parents et professionnels de la petite enfance – qui sont des êtres humains et non des objets inanimés – sont, pour les bébés, les meilleurs compagnons de jeu et les plus efficaces. Vous avez le pouvoir d'offrir à votre tout-petit apprentissage du langage, exercices physiques, ainsi que des heures d'amusement avec les gestes les plus simples, comme celui d'ouvrir et de refermer votre main, par exemple. Rire et chanter avec votre bébé, réagir à sa présence, l'aimer ou le prendre dans vos bras de multiples manières, sont autant d'activités que les jouets les plus

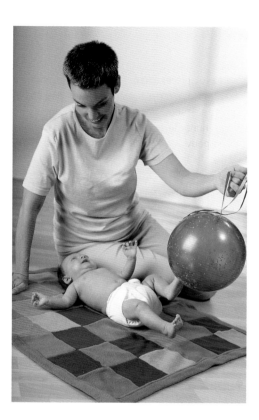

Le programme PEKiP

Les exercices préconisés dans ce livre sont tirés du Programme praguois Parents-Enfants ou programme PEKiP (*Prager Eltern Kind Programm*, ce qui signifie la même chose en allemand). Ce programme a été développé à partir des observations du psychiatre praguois Jaroslav Koch – lequel a étudié les interactions mère-enfant dans son institut de soins pour les mères et leurs enfants – avec la contribution de professeurs-chercheurs, d'infirmières pédiatriques, de travailleurs sociaux et, bien entendu, de parents. Bien que l'objectif du programme – accompagner et

sophistiqués ne sauraient prendre en charge. Des jeux simples, exécutés sans la moindre pression, vous permettront de lui offrir un sain développement émotionnel, physique, intellectuel et psychosocial.

Le problème, c'est que beaucoup d'entre nous ne savent plus comment jouer. Nous sommes tellement obnubilés par nos « obligations » de soins infantiles – les couches à changer, les repas, le bain, l'organisation des visites médicales, la régulation du sommeil, etc. – que nous en oublions parfois d'interagir avec notre bébé par le jeu, tout simplement. L'objet de ce livre est donc de vous faire découvrir comment jouer avec votre enfant, mais aussi comment structurer vos jeux en y incorporant des activités qui stimulent chez lui des fonctions motrices particulières, au stade approprié de son développement.

soutenir parents et enfants pendant le processus délicat de la formation des liens affectifs au cours de la première année de vie – puisse paraître moderne, cela fait plus de 25 ans que l'on enseigne le PEKiP.

Je suis éducatrice PEKiP certifiée. J'ai découvert ce programme au moment où je suis devenue maman. Ayant suivi une formation de psychomotricienne, quand ma fille Anne-Catherine a eu 3 mois, j'ai cherché un cours structuré pour son développement. La méthodologie PEKiP m'a tout de suite convaincue. Les résultats étaient stupéfiants. Ma fille est devenue plus joueuse à la maison ; on aurait même dit qu'elle anticipait et initiait les moments de jeu avec moi. Sa motricité grossière comme sa motricité fine se sont rapidement développées, de même que ses aptitudes cognitives et sociales. Qui plus est, le programme PEKiP était suffisamment flexible pour lui permettre d'apprendre et d'explorer le monde à son propre rythme, avec mon aide.

Lorsque j'ai déménagé à Hong Kong et eu mon fils Lukas, j'ai réalisé que personne n'offrait de cours de PEKiP là-bas. Je ne pouvais pas donner les mêmes chances à mon deuxième enfant, à moins de suivre une formation dans ce domaine. C'est ainsi que je suis devenue éducatrice PEKiP, il y a maintenant 6 ans. J'ai eu le bonheur de faciliter la naissance des liens affectifs entre plus d'un millier de parents et d'enfants, ainsi que de voir tous ces bébés se développer progressivement avec assurance.

Qu'est-ce que l'intégration sensorielle ?

Pendant sa première année de vie, le jeune enfant vit d'innombrables expériences sensorielles. Elles vont d'entendre l'aboiement d'un chien à sentir la fraîcheur d'une dalle de carrelage, en passant par percevoir la chaleur de la lumière du soleil au travers d'une fenêtre... Au fur et à mesure qu'il grandit, il continue d'expérimenter de nouvelles sensations. Le processus suivi par son cerveau pour apprendre à organiser et interpréter ces différentes expériences sensorielles s'appelle l'intégration sensorielle. Il commence dans le ventre de la mère, lorsque le bébé sent les mouvements de cette dernière. Puis, au fur et à mesure que l'enfant évolue, il intègre de plus grandes quantités d'informations à chaque nouvelle expérience sensorielle. L'aptitude à organiser en lui les sensations ressenties puis à les relier avec celles qui lui viennent de son environnement extérieur lui permet d'utiliser son corps avec efficacité dans cet environnement.

L'intégration sensorielle constitue une base fondamentale pour les capacités d'apprentissage plus complexes dont l'enfant aura besoin plus tard dans sa vie. Elle joue un rôle déterminant dans le développement rapide des aptitudes motrices du bébé, l'aidant à maîtriser les mouvements de son corps. Elle est aussi vitale dans la mesure où elle lui permet de développer son aptitude à apprendre, comme sa capacité à se sociabiliser, à être attentif et à dominer ses émotions.

Le concept d'intégration sensorielle a été développé par Jean Ayres, ergothérapeute. Cette femme s'est intéressée à la manière dont les processus sensoriels et les troubles de la planification motrice interféraient dans la vie quotidienne, et les fonctions qui y sont utilisées. Elle s'est alors rendu compte que les enfants ayant des problèmes d'intégration sensorielle souffraient de lenteur dans leurs apprentissages et développaient des troubles du comportement. Ses recherches ont été reprises par d'autres thérapeutes et spécialistes de ce domaine.

Les sens et le mouvement

Votre bébé ne reçoit pas les informations sensorielles de manière passive. Au cours de sa première année de vie, il apprend à s'explorer lui-même et à explorer le monde qui l'entoure en utilisant ses sens et le mouvement.

Lorsqu'un enfant joue avec des jouets, il les touche, les jette et leur donne des coups de pieds, les cache et les retrouve, les pousse, les tire ou les agite. Ce faisant, il écoute les différents sons qu'il produit et observe ce qu'il se passe. Au cours de cette expérience sensori-motrice multiple, l'enfant se familiarise avec le monde extérieur et apprend à le maîtriser dans une certaine mesure.

Il développe alors 4 groupes distincts d'aptitudes : leur maîtrise constitue son premier pas vers l'indépendance et la base de sa capacité à apprendre à partir de ce qui l'entoure :

1 Il apprend à reconnaître de nombreuses caractéristiques de son environnement.
2 Il prend conscience de lui-même en tant que personne distincte de son environnement.
3 Il apprend à changer la position de son corps et à se déplacer dans l'espace.
4 Il apprend à saisir, tenir, relâcher et manipuler des objets à volonté.

Les activités stimulantes proposées dans ce livre aideront votre bébé à maîtriser ces différentes aptitudes grâce à une intégration sensorielle efficace.

Les sens cachés de votre bébé

La plupart d'entre nous connaissent les principaux sens du bébé que sont le goût, le toucher, l'odorat, la vue et l'ouïe, mais nous sommes moins nombreux à savoir que le mouvement, l'effet de la pesanteur et le placement du corps dans l'espace constituent aussi des expériences sensorielles. L'enfant ressent les sensations qui y sont liées par l'intermédiaire de deux systèmes sensoriels moins connus : les systèmes vestibulaire et proprioceptif.

• Le système vestibulaire met en jeu les structures de l'oreille interne. Lorsque la tête de votre bébé change de position, le fluide présent dans son oreille interne envoie les informations correspondantes à son cerveau, lequel informe le corps qu'il est en déséquilibre, en mouvement, ou davantage au-dessus du sol que d'habitude. Ce système se développe très tôt *in utero*. Du fait de ses nombreuses connexions avec le cerveau, il serait à la base de fonctions telles que la coordination bilatérale – c'est-à-dire la capacité du corps à fonctionner des deux côtés de façon coordonnée – et la latéralisation – c'est-à-dire la spécialisation de chaque moitié du corps.

• Le système proprioceptif gère les informations en provenance des muscles, des articulations et des tendons, et permet au bébé de prendre conscience de sa position dans l'espace. Si ce système est perturbé, l'enfant peut être maladroit, tomber, adopter des postures anormales, avoir des difficultés à manipuler les petits objets ou renoncer à faire certains types de mouvements.

Porter son bébé de manière rassurante et sécurisée

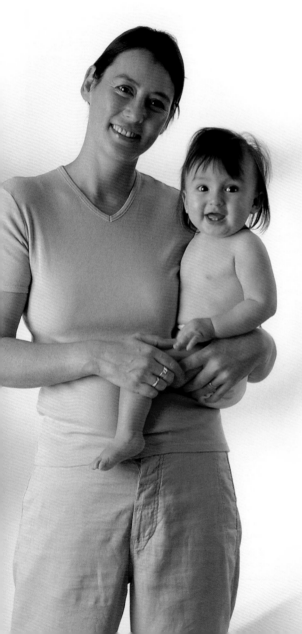

Porter et transporter son bébé est un art. Fait correctement, c'est l'une des meilleures manières pour qu'il se sente aimé et en sécurité. Et peu importent les éventuels commentaires, porter son bébé, ce n'est pas le gâter : à son âge, il veut être porté et bercé, et il en a besoin. Il en retire des sensations qui le rendent heureux !

C'est une stimulation sensorielle douce qui constituera une bonne base pour son futur développement sensori-moteur. Le mouvement stimule le système vestibulaire de votre bébé (oreille interne) et a un effet régulateur sur son évolution physiologique générale et motrice. Cela l'encourage aussi à utiliser certains groupes de muscles comme ceux qui l'aident à redresser sa tête, même si vous devez toujours être prudent et veiller à lui maintenir la tête lorsque vous le soulevez. En effet, au début, ses muscles ne sont pas encore assez forts pour tenir sa tête sans aide.

Tous les nouveau-nés adorent se lover dans les bras de leurs parents tandis que les bébés plus âgés aiment beaucoup être portés dans des positions de « grands » (voir la photo ci-contre). Ces deux techniques de portage sont bonnes, à la fois pour votre enfant et pour vous. Découvrez, pages 15 et 16, différentes méthodes qui vous permettront, à vous et à votre bébé, d'utiliser des groupes de muscles variés, avec un maximum de sécurité.

La sécurité avant tout

Changer fréquemment la position de votre bébé l'aidera à renforcer les muscles de sa nuque de la même manière des deux côtés. Vous-même devez utiliser votre propre corps de façon équilibrée, en ne faisant pas plus appel à une épaule qu'à l'autre, à un bras qu'à l'autre, au haut qu'au bas de votre dos. Cela vous évitera des tensions musculaires, en particulier lorsque votre bébé sera plus lourd.

Position anticoliques

Certains bébés souffrant de coliques apprécient cette position parce qu'elle permet d'exercer une pression sur leur ventre, ce qui facilite l'expulsion des gaz. Beaucoup de parents aiment aussi cette posture, dans laquelle l'enfant regarde vers le bas, parce qu'elle éloigne ses cris de leurs oreilles. Portez votre bébé visage vers le bas, le haut du corps au creux de votre bras, sa poitrine reposant sur votre avant-bras. Sa tête doit pouvoir bouger librement vers le haut ou le côté. Placez votre autre avant-bras entre ses jambes pour soutenir le bas de son corps.

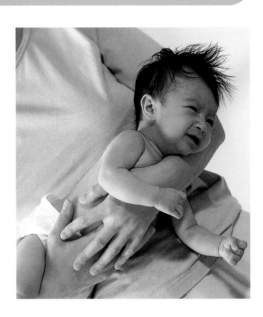

Position assise

Cette position (voir photo ci-contre) offre à votre bébé la liberté de se concentrer sur ce qu'il voit et entend du monde qui l'entoure. Elle permet ainsi de lui faire découvrir son environnement. Placez un bras autour de la poitrine de votre tout-petit et soutenez son poids, sans exercer de pression trop forte. Utilisez votre autre bras comme un « banc » sur lequel il s'assiéra.

Blotti au creux de l'épaule

C'est une position naturelle pour que le bébé fasse son rot. Tenez la tête de votre tout-petit contre votre épaule en lui soutenant la nuque ou en lui tapotant le dos d'une main. Placez votre autre bras sous ses fesses.

Position câline

C'est l'une des positions les plus aimées des parents ou des autres personnes qui s'occupent des bébés. Laissez votre enfant se blottir contre votre poitrine. Soutenez le bas de son corps d'un bras et son dos, de l'autre. Laissez sa tête dépasser de votre épaule pour qu'il puisse regarder librement autour de lui. Veillez toutefois à ne pas le porter toujours du même côté, cela pourrait provoquer des tensions musculaires.

Faire du sport tout en amusant son bébé

Les nouveau-nés ont besoin de beaucoup d'amour et d'attention, et demandent aussi beaucoup de travail. Les mamans peuvent alors avoir des difficultés à trouver du temps pour leur remise en forme après la grossesse. Une solution consiste à faire des exercices quotidiens adaptés, auxquels le bébé peut participer : vous recouvrez ainsi votre forme physique – ou, tout du moins, vous musclez votre dos et votre ventre – tout en amusant et en stimulant votre enfant.

Votre nourrisson est le partenaire idéal pour votre remise en forme. Il grandit au fur et à mesure que vous recouvrez vos forces. De plus, faire du sport lui plaira autant qu'à vous. Vous balancer avec lui ou le porter vous permettra de tonifier votre corps, de stimuler votre bébé en favorisant son bon développement physiologique et moteur et de l'aider à mieux respirer et grandir.

Comme pour toutes les activités du programme, il vaut mieux que vous attendiez que votre tout-petit soit âgé de 6 semaines au moins avant de commencer. Ces exercices doivent être vécus comme une séance de jeu normale : veillez à ce qu'ils vous fassent plaisir à tous les deux !

La sécurité avant tout

Si vous avez subi une césarienne, il vous faudra peut-être attendre un peu plus avant de vous lancer. Demandez conseil à un médecin avant de tenter le moindre effort important et écoutez les messages de votre corps.

Le bateau

Asseyez-vous en tailleur et posez votre bébé sur vous. Tenez-le par la poitrine, son dos plaqué contre votre corps. Puis balancez-vous doucement d'avant en arrière, sans forcer. Il prendra conscience de l'espace qui l'entoure pendant que vous renforcerez en douceur vos muscles abdominaux.

Pour commencer...

Les muscles de la nuque d'un bébé âgé de 2 à 3 mois sont encore faibles : vous devez veiller à ce que sa tête soit bien soutenue. Pour débuter vos exercices en douceur, allongez-vous sur le dos, genoux pliés et pieds au sol. Placez votre tout-petit en appui sur vos cuisses, sa tête reposant contre vos genoux. Mettez les mains de chaque côté de son corps pour stabiliser sa tête et balancez-vous doucement d'un côté à l'autre.

L'avion

1 Asseyez-vous par terre, genoux pliés et pieds à plat au sol. Placez votre bout de chou le ventre contre vos tibias, face à vous.

2 Roulez sur votre dos et revenez en avant en levant les jambes. Tenez fermement votre bébé et, avec vos jambes, soulevez-le en l'air, puis redescendez-le. Répétez plusieurs fois.

3 Contractez vos abdominaux pour revenir en position assise. Balancez-vous d'avant en arrière pour bien muscler votre ventre.

Mini-yoga

Si les nouveau-nés sont très souples, leur souplesse naturelle disparaît rapidement au fur et à
mesure qu'ils grandissent. Au cours de leur première année de vie, alors qu'ils commencent à
se déplacer et à supporter leur propre poids, leurs
muscles deviennent de plus en plus puissants. Or,
avec le développement des articulations et des
muscles, ils perdent progressivement une partie
de leur flexibilité. Les étirements simples pré-
sentés ci-après aideront votre bébé à garder sa
souplesse tout en se développant et l'inciteront à
varier ses mouvements.

Ces étirements constituent un complément utile
aux activités du programme PEKiP, car ils favori-
sent l'exploration par le bébé de ses capacités
sensori-motrices, et donc son développement
physique. Vous pouvez pratiquer ces exercices à
partir de l'âge de 6 semaines ou quand vous commencez véritablement le programme d'activités.
Poursuivez-les aussi longtemps que vous et votre
enfant y prenez du plaisir. Essayez de les faire
tous les matins, au moment où vous faites une
pause pour jouer avec votre bébé.
Couchez votre tout-petit sur le dos, le long de vos
cuisses. Croisez ses bras au-dessus de sa poitrine
à plusieurs reprises et en alternance, de sorte
que, tour à tour, l'un passe au-dessus de l'autre.

Du vélo...

Poussez les genoux de votre bébé en direction de son ventre, doucement, l'un après l'autre, comme pour le faire pédaler en arrière. Ce simple mouvement de haut en bas favorise la souplesse des hanches et des genoux et peut aider à soulager les coliques.

Les mains sur les pieds

Prenez l'un des bras de votre bébé par le poignet et faites-le passer au-dessus de son ventre pour aller toucher son pied opposé. Chatouillez la plante de celui-ci avec les doigts de sa main. Répétez ensuite l'opération avec son autre main et son autre pied.

Bonjour, petits pieds

Croisez les jambes de votre bébé au-dessus de son ventre à plusieurs reprises et en alternant les croisements, de sorte que chacune des jambes passe au-dessus de l'autre. Puis, prenez-lui les chevilles et faites monter ses pieds l'un après l'autre en direction de sa bouche : ses genoux se plieront et ses jambes pivoteront vers l'extérieur au niveau de ses hanches. Au moment où vous faites monter le premier pied, dites « bonjour, petit pied ». Puis, allez « réveiller » le deuxième pied en procédant de même. Vous pourrez aussi facilement monter les deux pieds en même temps en direction de la bouche de votre enfant. Cela l'aidera à ouvrir ses hanches et à garder une certaine souplesse au niveau de celles-ci et des jambes.

Ça chatouille !

Tenez les pieds de votre bébé de manière à ce qu'ils se touchent. Avec les orteils d'un pied, chatouillez la plante de l'autre. Répétez l'opération en inversant les pieds.

Suivre le programme

Les activités proposées dans cet ouvrage sont classées en fonction de l'âge des bébés, avec des premiers exercices pour les petits de 6 semaines, puis des exercices adaptés jusqu'au premier anniversaire de l'enfant. Les six premières semaines suivant la naissance, votre bébé et vous aurez certainement besoin de récupérer de la fatigue de l'accouchement. Chaque chapitre contient nombre d'activités variées visant à développer les capacités motrices de votre enfant par le biais des expériences sensorielles, en commençant par le contrôle de la tête et des mouvements du bas du corps.

Vous pouvez les pratiquer comme bon vous semble, mais essayez d'y consacrer au moins 10 minutes le matin et 10 minutes l'après-midi, lors d'un tête-à-tête ludique avec votre bébé. Assurez-vous qu'il a envie de jouer, que sa couche n'a pas besoin d'être changée, qu'il n'a ni faim, ni sommeil, et qu'il n'est pas grognon ou distrait par quoi que ce soit. Éteignez votre téléphone et votre télévision, et mettez-vous par terre, au niveau de votre enfant. Parlez-lui et faites-lui des mimiques expressives tout au long de l'activité. Et surtout : arrêtez-vous dès qu'il en a assez ; trop stimulé, votre bébé serait fatigué et plus difficile à vivre.

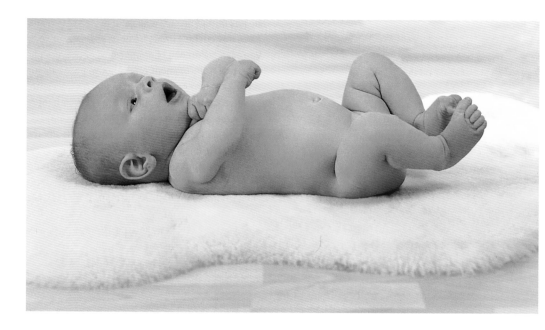

Laissez à votre enfant tout le temps nécessaire pour aller au bout des choses : les exercices ont non seulement pour but de le stimuler, mais aussi de lui enseigner comment apprendre seul. Laissez-le explorer à son rythme ; guidez-le plutôt que de vous précipiter pour l'aider à la moindre difficulté. Il apprendra ainsi comment trouver seul des solutions à ses problèmes et devenir plus fort.

S'il n'a pas la maturité ou la capacité nécessaire pour réaliser l'activité proposée à son âge, attendez une ou deux semaines et essayez de nouveau. Votre but est de stimuler votre enfant, de jouer avec lui et de créer un lien entre vous, pas d'atteindre des objectifs. Chaque bébé se développe à un rythme différent : certains, par exemple, passent beaucoup de temps à quatre pattes tandis que d'autres ignorent cette étape et préfèrent se traîner sur les fesses.

Par ailleurs, si l'inquiétude vous gagne parce que vous trouvez que le développement des capacités sensori-motrices de votre enfant prend beaucoup de retard, demandez conseil à votre pédiatre.

Pour terminer, envisagez de laisser votre bébé jouer nu. Il bougera plus facilement et sera ravi de

Soutien et socialisation

À la fin de mes cours de PEKiP, parents et professionnels de la petite enfance se réunissent pour une discussion de groupe informelle, afin de parler de problèmes d'éducation spécifiques et d'échanger conseils et idées. N'hésitez pas, de la même manière, à chercher d'autres parents ayant des enfants en bas âge et à les retrouver régulièrement pour pratiquer ensemble des exercices, ou simplement pour discuter. Un groupe peut apporter un soutien efficace et constituer une excellente source d'informations. Par ailleurs, présenter votre bébé à d'autres tout-petits est aussi une bonne manière de favoriser sa socialisation précoce.

ne pas être gêné par l'épaisseur de ses vêtements et de sa couche. Si vous hésitez, essayez, et vous verrez la différence ! Comme votre petit finira par faire pipi à un moment ou un autre, posez-le sur une protection en plastique ou sur une serviette, et ayez des lingettes et du papier absorbant à portée de main pour nettoyer d'éventuels dégâts. La pièce dans laquelle vous vous trouvez doit être confortable, chauffée et sans courant d'air.

L'essentiel, c'est que vous vous amusiez et que vous profitiez du petit miracle que constitue l'évolution d'un enfant de sa naissance à un an. Votre bébé va grandir très vite. À vous de profiter au mieux de cette période si particulière de sa vie.

De 6 semaines à 2 mois

Les six premières semaines de la vie de votre bébé vont vous servir à faire connaissance et à trouver vos marques. Certes, votre tout-petit commencera à apprendre et à absorber de nouvelles informations dès sa naissance, mais à 6 semaines, c'est pour lui le moment idéal pour se lancer dans de nouvelles activités stimulantes et relever de nouveaux défis.

Les bébés naissent dotés d'une large gamme de réflexes fascinants. Touchez la main ouverte d'un nouveau-né et il serrera fermement le poing. Touchez-lui le pied près des orteils et il les recroquevillera rapidement. Tenez votre bébé en l'air, de sorte que ses pieds touchent une surface plane, et il commencera automatiquement à marcher. Les activités de ce premier chapitre utilisent certains de ces réflexes moteurs naturels et aideront votre enfant à prendre des forces, de la tête aux pieds.

Comme ces réflexes disparaissent progressivement au cours des six premiers mois de vie, le bébé développe la capacité de faire des mouvements volontaires. Dès la fin de son premier mois, il commence ainsi à redresser la tête tout seul.

La région du cerveau qui contrôle la tête et la nuque se développe en effet avant celle qui dirige les bras et les jambes. L'accroissement de son aptitude à interagir avec son environnement incitera votre enfant à progresser.

Les activités de ce chapitre exploitent les sens de plus en plus matures de votre bébé pour stimuler son développement. Votre petit apprécie un certain nombre de choses avec sa vue, son goût, son toucher, son ouïe et son odorat. Il aime le contact peau à peau. Il distingue la voix de sa mère, y répond et peut différencier son odeur de celle des autres personnes. En lui parlant, en lui chantant des chansons et en le touchant, vous renforcerez son amour-propre et l'encouragerez à évoluer. Il est aussi certain qu'il voit et qu'il choisit ce qu'il souhaite regarder. Il est particulièrement intéressé par le visage humain.

Toutes ces capacités indiquent que le système sensoriel du bébé est déjà bien développé à sa naissance. Mais en jouant avec lui et en le stimulant par le biais d'activités comme celles qui sont proposées ci-après, vous l'aiderez à affiner ses sens, à mettre en relation leurs messages et à les exploiter avec efficacité. Vous favoriserez également son bon développement physique, émotionnel et cognitif.

Roulis

Avec leurs mains, les nouveau-nés sont capables de s'agripper avec une fermeté et une détermination impressionnantes. Le jeu ci-dessous est simple et consiste à exploiter la poigne puissante de votre bébé pour le familiariser avec un mouvement latéral de va-et-vient. Beaucoup de bébés ayant tendance à tourner leur tête d'un seul côté, qu'ils préfèrent à l'autre, vous montrerez à votre nourrisson, dans cet exercice, comment pivoter sur presque 180 degrés. Vous lui enseignerez donc ce qu'est le mouvement, tout en lui donnant l'opportunité de regarder autour de lui et de découvrir une plus grande partie de son environnement. Cela stimulera sa vue, son contrôle sur ses muscles oculaires et son développement moteur.

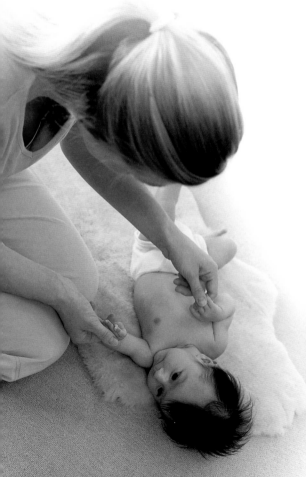

Intégration sensorielle

En réussissant à repérer vos doigts et à les saisir, votre bébé fait collaborer ses sens de la vue et du toucher. De plus, rouler d'un côté à l'autre lui fait utiliser son système vestibulaire : son oreille interne l'aide à détecter le mouvement et les changements de position de sa tête. Les sensations provoquées par les doux mouvements de son corps agissent sur son cerveau qui s'organise, assimilant et exploitant les nouvelles informations que ses sens lui envoient.

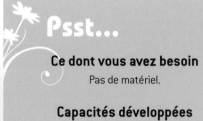

Psst...

Ce dont vous avez besoin
Pas de matériel.

Capacités développées
Coordination oculo-manuelle ;
perception du corps.

1 Couchez doucement votre bébé sur le dos et laissez-le s'agripper à vos deux index. Vous aurez peut-être besoin d'agiter vos doigts pour attirer son attention dessus et pour qu'il les fixe du regard.

2 Il se peut que votre bébé tende les mains pour prendre vos doigts ou, plus proba-blement, que vous ayez à les placer vous-même dans ses paumes ouvertes. Instinctivement, il s'y accrochera avec fermeté. Dès que ce sera fait, déplacez lentement vos mains vers la droite ou la gauche.

3 Observez comment la tête de votre bébé suit votre mouvement, puis comment son petit corps suit ses mains. Puis déplacez vos doigts lentement de l'autre côté de son corps. Ses hanches et ses jambes vous suivront peut-être aussi. Répétez ce mouvement d'un côté à l'autre pour familiariser votre enfant.

Le hamac

Pour calmer ou tranquilliser votre bébé s'il est grognon, chantez-lui une berceuse tout en le balançant lentement d'un côté à l'autre dans une couverture. Le mouve-ment de va-et-vient va stimuler en douceur son système vestibulaire, l'apaisant et le relaxant. Cette activité nécessite la pré-sence de deux personnes ; c'est l'occasion pour les parents de partager un moment paisible avec leur tout-petit.

Jouer avec les reflets

À l'âge de 6 semaines, votre bébé commence tout juste à fixer des objets, et sa vue ne porte pas plus loin qu'à 25 cm. C'est donc la distance idéale à laquelle lui présenter des jouets. Placés trop près ou trop loin de sa frimousse, ceux-ci ne constitueraient pour lui qu'une tache floue frustrante.
Visuellement, le visage humain est indubitablement le jouet le plus fascinant et le plus interactif pour le bébé. Vous verrez que votre enfant préférera regarder le vôtre et observer toute sa gamme d'expressions plutôt que de voir un produit manufacturé, si ingénieux soit-il. Et s'il voit votre reflet et le sien réunis dans un miroir, il sera à la fois captivé et passionné.

Intégration sensorielle

La relation entre le contrôle de la tête, les mouvements de celle-ci et la vision est très importante. La capacité de votre bébé à suivre un objet ou une personne en bougeant les yeux et la tête, c'est-à-dire la poursuite visuelle, dépend de la manière dont il intègre ces aptitudes. C'est une réaction d'adaptation aux sensations envoyées par les muscles situés autour de ses yeux et dans sa nuque, ainsi qu'aux messages relatifs à la pesanteur et au mouvement envoyés par son oreille interne. Suivre son reflet dans un miroir va renforcer la capacité d'attention de votre nourrisson, de même que sa capacité de concentration et le contrôle de sa tête. Cela l'aidera à interagir avec son environnement.

Psst...

Ce dont vous avez besoin
Un miroir incassable de taille moyenne.

Capacités développées
Poursuite visuelle ;
contrôle de la tête et de la nuque.

1 Allongez délicatement votre bébé sur le dos et étendez-vous à côté de lui, le regard tourné vers le plafond. Tenez le miroir au-dessus de vous deux, à une distance d'environ 25 cm et selon un angle permettant de rendre visibles vos reflets à tous les deux.

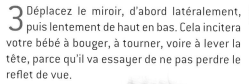

2 Laissez à votre bébé le temps de se concentrer sur ces reflets et de réagir. Ensuite, changez légèrement d'angle afin qu'il voie d'abord votre reflet, puis le sien. Observez-le pour voir le visage qu'il regarde avec le plus d'intensité.

3 Déplacez le miroir, d'abord latéralement, puis lentement de haut en bas. Cela incitera votre bébé à bouger, à tourner, voire à lever la tête, parce qu'il va essayer de ne pas perdre le reflet de vue.

Comment votre bébé évolue-t-il ?

Votre enfant sera fasciné par le magnifique petit qu'il verra dans le miroir, mais à 2 mois, il reste incapable de se reconnaître. Ce n'est pas avant l'âge de 15 mois à 2 ans, lorsqu'il apprendra à dire « je », « mon » et « le mien », qu'il deviendra capable de s'identifier réellement. À l'âge de 2 mois, ce qui l'intrigue est le fait que l'image de son reflet soit en mouvement. La lui montrer permet parfois d'apaiser ses pleurs.

Les fesses en bas, la tête en haut

La posture du bébé et son degré de force musculaire jouent sur la nature des activités à sa portée et sur la manière dont il peut exploiter son environnement. Le jeu suivant enseigne à votre tout-petit comment étirer ses jambes sous lui et améliorer le contrôle de sa tête et de sa nuque. À 6 semaines, un bébé allongé sur le ventre prend la position de la grenouille ; son poids repose sur ses membres supérieurs, ses hanches sont fléchies et son bassin est relevé. Il apprend ensuite à faire descendre son centre de gravité en poussant ses fesses vers le bas et en levant la tête. En attendant, vous pouvez l'aider en plaçant sous sa poitrine une serviette roulée en cylindre ou une cale triangulaire en mousse. L'exercice proposé se fonde sur le réflexe de Galant : lorsque vous caressez le dos de votre bébé de haut en bas, le long de sa colonne vertébrale, il réagit automatiquement en incurvant le dos et en relevant la tête. Ce réflexe est présent dès la naissance et commence à disparaître vers l'âge de 3 mois.

Intégration sensorielle

Lorsque vous caressez le dos de votre enfant, la sensation tactile qu'il ressent l'incite à lever la tête. Cela stimule son système proprioceptif qui envoie au cerveau des messages en provenance des muscles, des articulations et des tendons, et le familiarise avec les sensations impliquées dans le mouvement. Le contrôle de sa tête s'en trouve amélioré et il jouit ainsi d'une stimulante nouvelle vision du monde.

Psst...

Ce dont vous avez besoin
Une serviette ; le jouet favori de votre bébé.

Capacités développées
Contrôle de la tête et de la nuque.

1 Allongez votre bébé sur le ventre et placez son jouet favori devant lui à une distance qui lui permette de le regarder en levant la tête. Pour l'aider, vous pouvez glisser sous sa poitrine une serviette roulée en cylindre ou une cale triangulaire en mousse. Cela déplacera son poids vers le bas et renforcera les muscles entourant le haut de sa colonne vertébrale.

2 Votre bébé va relever la tête, regarder son jouet et peut-être même tendre la main vers ce dernier. Pour compléter l'exercice, placez votre main sur le haut de son dos et caressez-le fermement en descendant le long de sa colonne vertébrale. Son dos devrait s'arquer en réaction, ce qui devrait l'inciter à relever encore plus la tête. Votre bébé ne pourra pas rester très longtemps sur le ventre. Plutôt que de prolonger la séance, répétez-la plusieurs fois par jour.

Des objets doux

Essayez le jeu de stimulation sensorielle suivant, dont l'objectif est une plus grande prise de conscience de son corps par votre bébé. Commencez par réunir tous les objets doux que vous trouvez chez vous : foulard, gant de velours, plumeau neuf, jouet en peluche... Ensuite, déshabillez votre bébé et allongez-le sur le dos. Parlez-lui doucement, votre visage proche du sien. Prenez vos différents objets et caressez-le. Observez ses réactions en fonction des objets et des zones du corps que vous touchez.

En marche !

Avec un peu d'aide, même un bébé de très petite taille peut soutenir sa tête lorsqu'on le fait passer d'une position allongée à une position verticale. Le secret ? Avant de soulever votre enfant, faites-le pivoter de sorte qu'il ne soit plus allongé sur le dos, mais sur le flanc. Cela forcera sa tête à former une ligne droite avec son corps et l'empêchera de tomber en arrière ou en avant. Ce mouvement, bien que très simple, va beaucoup stimuler son développement ; il constitue, en outre, un excellent exercice pour les muscles de sa nuque.

Une fois votre bébé à la verticale, tenez-le de telle sorte que ses pieds touchent le sol et laissez-le porter une partie de son poids sur ses jambes. Il prendra ainsi progressivement conscience du bas de son corps. Les nouveau-nés réagissent en général à cette position debout par le réflexe de marche automatique. Essayez de faire cette activité en groupe, avec d'autres parents. Chaque adulte fait « marcher » son bébé en direction d'un autre enfant : observez comme les sourires remplacent peu à peu les mimiques de concentration de vos tout-petits.

Intégration sensorielle

Ici, le bébé tente de contrôler sa tête pour s'adapter à une situation donnée. Pour ce faire, il fait appel à ses yeux et aux muscles de sa nuque, et met en jeu l'équilibre de son oreille interne. À son âge, si on le soutient de la sorte, il réagit encore à ses sensations corporelles de manière instinctive par le réflexe de marche automatique. Cette activité est néanmoins utile pour affiner les schémas musculaires et les structures neurologiques qui seront plus tard nécessaires à la marche indépendante.

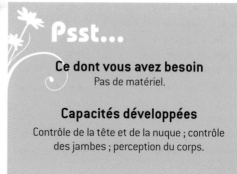

Psst...

Ce dont vous avez besoin
Pas de matériel.

Capacités développées
Contrôle de la tête et de la nuque ; contrôle des jambes ; perception du corps.

▲

1 Prenez votre bébé par la poitrine et faites-le rouler sur le flanc. Cela empêchera sa tête de tomber trop en arrière ou en avant lorsque vous le redresserez et l'aidera à la soutenir tout seul. Même les très jeunes bébés apprennent rapidement à tenir leur tête quand on les soulève de cette façon.

ATTENTION !

À 6 semaines, la région cervicale et les muscles de la nuque sont encore faibles. Les gros bébés, en particulier, ont besoin de plus de temps pour apprendre à contrôler leur tête, qui est plus lourde. Allongez votre bébé sur le ventre : s'il n'est pas capable de soulever sa tête de la surface sur laquelle elle repose, laissez-lui un peu plus de temps pour développer les muscles de sa nuque. Mais ne différez pas trop non plus cet exercice : plus vous permettrez à votre enfant d'essayer de soutenir seul sa tête, plus ses muscles auront d'occasions de se développer. Par ailleurs, avant de le soulever, n'oubliez jamais de le faire rouler sur le flanc de sorte que sa tête ne s'affale pas.

▲

2 Penchez-le légèrement en avant tandis que ses pieds touchent le sol. Vous devriez voir l'un d'eux se soulever automatiquement et faire un pas en avant, bientôt suivi par le deuxième pied. Votre bébé marche, avec votre aide. Tenez-le fermement, car il n'a pas l'équilibre nécessaire pour se porter lui-même, et suivez ses mouvements. Vous verrez qu'il appréciera le changement de perspective. Le réflexe de marche automatique est plus fort autour de 3 semaines et disparaît vers 2 à 3 mois.

De 2 à 3 mois

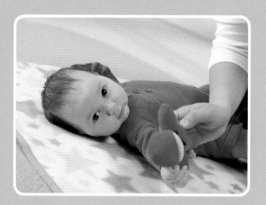

Lorsqu'un bébé de 2 ou 3 mois aperçoit un objet brillant ou coloré près de lui, il exprime son excitation avec tout son corps. Si d'une main il parvient à toucher l'objet de son désir, il va le saisir par réflexe. Et si vous touchez ses pieds par hasard, il réagira en remuant violemment ses jambes.

À ce stade de leur développement, les bébés peuvent fixer brièvement leur regard de manière centrale, c'est-à-dire qu'ils peuvent le concentrer sur un point situé en face d'eux, alors que les nouveau-nés ont tendance à regarder sur les côtés. Votre enfant peut donc suivre un objet d'un point latéral à un point central et vice versa, et commence aussi à le suivre d'un point à un autre de son axe de vision central. C'est une étape majeure de son développement : le contrôle efficace de sa tête et sa prise de conscience visuelle constituent un pas déterminant vers le développement d'aptitudes qui vont lui permettre d'interagir pleinement avec son environnement.

La possibilité d'explorer son sens du toucher ne va pas seulement lui offrir les moyens de travailler son sens tactile, mais aussi son sens visuel. Les activités de ce chapitre proposent un grand choix d'exercices de stimulation adaptés à l'âge de l'enfant. Ces exercices restant des suggestions, vous pouvez parfaitement aller plus loin. Rassemblez, par exemple, quelques objets de couleur vive et au contact intéressant, et touchez les pieds et les mains de votre bébé avec. Observez sa réaction : très vite, vous constaterez qu'il n'attend plus que vous lui apportiez l'objet, mais qu'il tend délibérément les mains vers lui et essaie de le saisir.

Pour bien vous amuser avec votre tout-petit, assurez-vous de choisir un moment où il n'a pas faim et est bien reposé. Prêtez attention aux signaux qu'il vous envoie et limitez-vous dans le temps en conséquence. Un bébé de 3 mois va signaler son envie de jouer en vous regardant et en vous souriant, et signifier son désir d'arrêter en regardant ailleurs, en se renfrognant ou en pleurant. Votre enfant vous envoie enfin des messages clairement compréhensibles, alors profitez-en !

Saisir un hochet

Un bébé de 3 mois peut suivre du regard des objets horizontalement et verticalement dans le cadre de son court champ de vision. Sa vue n'est pas encore tout à fait développée, mais il progresse en permanence, même si ce n'est que vers 4 mois qu'il sera capable de suivre des objets du regard sans à-coups et que son champ visuel sera complet.

Votre nourrisson commence normalement à ouvrir ses mains lorsqu'il tend les bras. En effet, le réflexe de préhension, qui est très puissant les deux premiers mois, commence à être remplacé par une préhension volontaire. Jouer à se saisir d'un hochet stimulera le développement des mouvements volontaires pour agiter ou tendre la main et améliorera sa capacité à suivre un objet du regard.

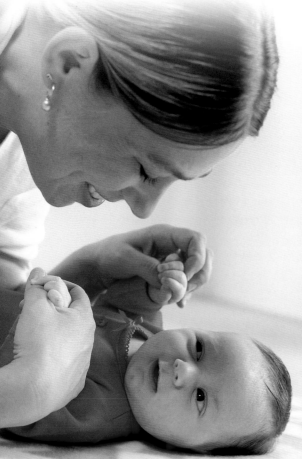

Intégration sensorielle

Cette activité peut paraître simple, mais elle implique l'intervention du cerveau du bébé afin d'organiser le travail d'un groupe de muscles qu'il n'a jamais utilisés auparavant. Ce n'est pas rien pour votre petit. Son sens du toucher envoie des messages à son cerveau pour l'aider à tenir les objets. Le développement d'une préhension volontaire est une réaction du corps pour s'adapter à ces sensations. Autre aptitude requise pour cet exercice : la coordination oculo-manuelle. Celle-ci implique que les yeux fournissent des informations au cerveau, lequel les transmet aux muscles qui réagissent en conséquence. Les bébés ont besoin de beaucoup s'entraîner pour maîtriser ces deux aptitudes.

Psst...

Ce dont vous avez besoin

L'anneau de dentition préféré de votre bébé ou un hochet.

Capacités développées

Poursuite visuelle ; coordination oculo-manuelle ; maniement d'un objet.

1 Allongez délicatement votre bébé sur le dos. Commencez par entrer en contact visuel avec lui en rapprochant votre visage du sien et en lui parlant doucement. Puis secouez légèrement le hochet pour attirer son attention.

2 Offrez le hochet à votre bébé au niveau de sa poitrine. Le placer devant son visage pourrait être trop intimidant. Laissez-le choisir la main avec laquelle il veut jouer plutôt que d'encourager la domination d'un hémisphère cérébral sur l'autre. Si votre enfant ne semble pas remarquer le hochet, touchez doucement sa poitrine avec, pour l'aider à fixer son regard dessus.

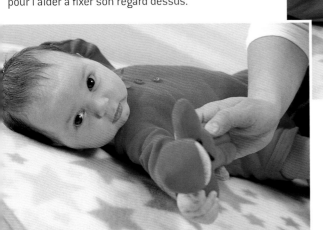

3 Laissez-lui le temps de tendre la main de son choix pour saisir le hochet. Il va sans doute le tenir pendant quelques secondes, puis le lâcher. Une fois qu'il ne tiendra plus, il l'oubliera instantanément, car ce que les bébés ne voient pas n'existe pas pour eux. À vous, donc, de le ramasser et de le lui tendre de nouveau.

Comment votre bébé évolue-t-il ?

À cet âge, quand il tient un objet, le bébé n'est pas capable de lâcher prise intentionnellement. Si son poignet est droit, il est probable qu'il s'accroche à son objet, mais s'il est fléchi, ses doigts vont se déplier et il le laissera tomber sans s'en rendre compte. Ce phénomène est appelé « ténodèse ». Ce n'est que vers l'âge de 9 à 10 mois qu'il commence vraiment à comprendre comment lâcher quelque chose.

Pile ou face

En donnant à votre bébé la possibilité de passer un peu de temps sur le ventre, vous stimulez chez lui le contrôle de la tête et lui donnez la possibilité d'observer son environnement suivant un angle de vue différent. Les bébés devant être couchés sur le dos pour dormir, les parents ont tendance à les laisser dans cette position même quand ils sont éveillés. Résultat : certains petits refusent ensuite de se mettre sur le ventre, passent beaucoup de temps à fixer le plafond et ont les muscles de la nuque trop faibles pour marcher à quatre pattes facilement.

En le faisant rouler sur le ventre et en l'encourageant à lever la tête, vous offrez aussi à votre enfant la possibilité d'observer des choses plus intéressantes et plus stimulantes que lorsqu'il est sur le dos, les yeux fixés sur le plafond. Au fur et à mesure qu'il contrôlera mieux sa tête, son attention visuelle en position face à terre va s'améliorer et il sera bientôt capable de suivre du regard un objet, à l'horizontale, sur 180 degrés.

Intégration sensorielle

Lorsque votre bébé lève sa tête ou roule sur lui-même, le fluide situé à l'intérieur de son oreille interne envoie à son cerveau des informations sur l'équilibre et le mouvement de sa tête. Le cerveau reçoit aussi des informations de la part de ses muscles et de ses yeux, lesquels lui présentent une vue différente du monde qui l'entoure. L'association de ces différents messages – des systèmes vestibulaire, proprioceptif et visuel – aide votre enfant à développer de bonnes réactions posturales, à prendre conscience de son corps et à augmenter sa capacité à poursuivre les objets des yeux.

Psst...

Ce dont vous avez besoin
Pas de matériel.

Capacités développées
Poursuite visuelle ; conscience du corps.

1 Allongez délicatement votre enfant sur le dos et tendez un doigt à portée de sa main. Déplacez latéralement celui-ci d'un côté et observez comment votre petit le suit de ses yeux, de ses mains et de son corps.

2 Votre bébé va tendre une main vers votre doigt pour le saisir. De ce fait, son épaule va se déplacer dans la même direction et il va rouler sur le ventre. S'il ne le fait pas, aidez-le en plaçant un doigt sous son genou pour le pousser gentiment.

3 Laissez votre bébé en faire le plus possible sans votre aide. Si l'un de ses bras se coince sous son ventre, soulevez-lui légèrement le corps, là où le bras est logé : votre enfant devrait être capable de le déplacer vers l'avant tout seul. S'il a encore des difficultés, caressez-lui gentiment le bras ; cette stimulation supplémentaire rappellera à son cerveau de réagir. Veillez à pratiquer cet exercice des deux côtés, en particulier si vous remarquez que votre enfant est plus à son aise d'un côté que de l'autre.

Roulé comme un cigare

Voici une variante un peu plus ludique : utilisez une serviette pour faire rouler votre bébé sur lui-même dans un sens, puis dans l'autre. Installez-la à plat sur votre lit ou toute autre surface au contact agréable, et allongez votre enfant sur le dos à l'une de ses extrémités. Ensuite, doucement, soulevez le bord de la serviette de sorte que votre enfant soit obligé de rouler sur son flanc, puis sur le ventre. Au début, il essaiera peut-être de résister avec son bras contre la serviette, mais il devrait vite saisir le principe du jeu. Laissez-lui le temps de se réorienter, puis, doucement, faites-le rouler pour qu'il se retrouve de nouveau sur le dos.

Pousser pour atteindre

Entre 2 et 3 mois, votre bébé commence à aimer donner des coups de pieds. Les mouvements de ses jambes deviennent plus puissants. Il se met à pédaler régulièrement. Vers 3 mois, vous remarquerez peut-être que les articulations de ses hanches et de ses genoux deviennent plus souples et qu'il a plus de facilité à maîtriser son corps. Les réflexes archaïques de redressement et de marche automatique commencent à disparaître. Jour après jour, votre bébé comprend de mieux en mieux comment bouger.

Cette activité a été conçue pour augmenter la force de ses jambes. À la différence d'exercices plus passifs, comme celui qui consiste à faire pédaler les jambes de votre tout-petit (voir page 21), elle encourage la participation active de votre enfant : il doit pousser contre vos mains pour se propulser en avant.

Intégration sensorielle

L'objectif de cette activité est d'encourager votre bébé à chercher à atteindre un jouet qui est hors de sa portée. Tout dépend de sa capacité à se déplacer seul et à décaler son centre de gravité de façon à pouvoir contrôler son bras au-delà de son corps. Ces réactions posturales précoces vont l'aider à soulever sa tête et, plus tard, à se retourner et à se dresser à quatre pattes.

Psst...

Ce dont vous avez besoin
Quelques jouets.

Capacités développées
Contrôle de la tête et de la nuque ; perception du corps ; force et contrôle des jambes.

1 Allongez délicatement votre bébé sur le ventre. S'il n'apprécie pas cette position, placez une serviette roulée en cylindre sous sa poitrine, afin qu'elle soutienne le haut de son corps. Posez un jouet à distance, tout juste hors de sa portée.

2 Pliez-lui légèrement les jambes et prenez la plante de ses pieds dans vos mains. Pour attraper son jouet, votre enfant va pousser ces dernières. Exercez une pression contre ses jambes repliées pour lui permettre de se déplacer en direction de son objectif. À la fin de son troisième mois, votre bébé devrait avoir assez de force pour étendre seul ses bras.

3 Une fois qu'il a atteint son jouet, laissez-le jouir de sa récompense. Ne poussez pas l'objet plus loin, car cela le découragerait. Au contraire, félicitez-le et laissez-le jouer avec.

Attention !

Cette activité ne peut se faire juste après le repas : l'excitation et la pression sur le ventre de votre bébé pourraient lui faire régurgiter sa nourriture ! N'oubliez pas, par ailleurs, de toujours reconnaître ses efforts et de lui montrer le plaisir que vous ressentez à être avec lui.

Les joies
du ballon gonflable

Les enfants de tous âges adorent les ballons. Votre bébé devrait donc apprécier cette activité qui va profiter à l'ensemble de son corps. Elle stimule le redressement de la tête et le déplacement des bras en avant. L'enfant ayant besoin de soutenir le poids de son corps, les muscles de ses jambes se renforcent, tout comme ses orteils – à force de donner des coups de pieds. Laissez votre petit pieds nus : ses doigts de pied percevront mieux le sol et il réussira davantage l'exercice.

Intégration sensorielle

Lorsque votre enfant roule d'avant en arrière, ses systèmes vestibulaire et proprioceptif sont stimulés par le mouvement qui provoque l'envoi au cerveau de messages provenant de l'oreille interne, des muscles et des articulations. Tout en apprenant à réagir à ces sensations et à les organiser, il commencera à soutenir sa tête contre la pesanteur et découvrira ce qu'il se passe lorsqu'il pousse contre le sol avec ses pieds.

Psst...

Ce dont vous avez besoin

Un gros ballon gonflable de 20 à 30 cm de diamètre, voire plus si votre bébé est grand.

Capacités développées

Contrôle de la tête, de la nuque et des épaules ; contrôle des jambes.

1 Placez votre bébé le ventre contre le ballon, en laissant ses pieds toucher le sol. Si ce n'est pas possible, cela signifie que le ballon est trop grand. Il va normalement soulever sa tête et regarder autour de lui.

2 Soutenez-le par-derrière et faites-le basculer lentement d'avant en arrière. Tenez-le les mains ouvertes de telle sorte que vos pouces reposent sur son dos et vos autres doigts sur le ballon ; ce sera ainsi plus facile et agréable pour vous deux. Veillez en tout cas à tenir à la fois votre bébé et le ballon !

3 Laissez-le toucher le sol et donner des coups de pieds. Le ballon soutenant la majeure partie de son poids, il devrait être capable de se propulser en poussant sur ses orteils. Répétez cette activité autant de fois que votre enfant le désire. Lorsqu'il aura compris comment elle fonctionne, il devrait commencer à s'étirer, à se tortiller, à tendre les pointes de ses pieds en montant et à fléchir ses orteils en descendant.

Avec un bébé plus âgé

Vous pouvez reprendre cette activité avec un bébé plus âgé, en plaçant cette fois un hochet ou un jouet au sol devant le ballon et en l'incitant à l'attraper. Il est aussi possible de placer un miroir au sol de sorte que votre enfant y voie son reflet lorsque vous le poussez en avant.

Tic-tac

Les jeunes bébés adorent la sensation de mouvement, même si, à leur âge, ils dépendent largement de leurs parents pour la ressentir. Le simple mouvement de pendule latéral proposé par cette activité ne fera pas qu'amuser votre enfant. Il va aussi renforcer les muscles de sa nuque, de ses épaules et du haut de son torse.

N'oubliez jamais que la frontière entre une bonne stimulation et trop de stimulation est ténue. On est souvent tenté de jouer de façon plus énergique ou de soulever son bébé dans les airs, mais ce n'est pas le bon moment.

Intégration sensorielle

Les bébés aiment énormément sentir la pesanteur et le mouvement. Le fait de les soulever, de les balancer ou tout autre type de stimulation vestibulaire et proprioceptive douce aura souvent un effet apaisant sur un enfant difficile ou contrarié. Tout en apprenant à comprendre les sensations qu'il ressent, votre nourrisson apprendra aussi à mieux contrôler sa tête et améliorera la perception qu'il a de son corps. Le contrôle moteur s'accroît généralement en partant de la tête pour descendre vers le bas du corps, et du centre du corps vers l'extérieur de celui-ci. Votre bébé a besoin de bien maîtriser sa tête, ses épaules et son torse avant de pouvoir apprendre à se servir de ses doigts et de ses orteils.

Psst...

Ce dont vous avez besoin

Pas de matériel.

Capacités développées

Contrôle de la tête et de la nuque ; alignement du haut et du bas du corps.

1 Allongez votre bébé sur le dos et prenez-le en plaçant vos pouces autour de sa poitrine et vos autres doigts ouverts sous ses aisselles. Cela vous permettra de le tenir sans exercer de trop forte pression sur sa poitrine, afin qu'il puisse respirer facilement.

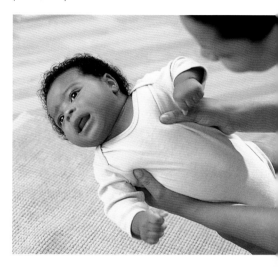

2 Levez-le droit devant vous pour attirer son attention. Comme toujours, veillez à le faire pivoter légèrement sur le côté avant de le soulever, pour qu'il puisse soutenir sa tête dans la continuation de son buste.

3 Inclinez-le doucement sur la droite, puis revenez à la verticale. Puis inclinez-le à gauche et revenez de nouveau à la verticale, avec un mouvement de pendule. Ce faisant, vous pouvez dire « tic-tac » ou faire un bruit correspondant. Répétez ce mouvement cinq à six fois de chaque côté. Si votre bébé est gros et que vous avez de petites mains, vous préférerez peut-être limiter les répétitions.

ATTENTION !

Jusqu'à l'âge de 2 mois, vous ne devez pas incliner votre bébé à plus de 45 degrés environ. Si l'angle est plus important, il risque d'avoir des difficultés à tenir sa tête droite. Avec le temps, les muscles de sa nuque seront de plus en plus forts et vous pourrez le pencher davantage. Mais en attendant, respectez la limite à partir de la laquelle il n'est plus capable de maintenir sa tête dans l'alignement de sa colonne vertébrale.

Le gant-mobile

Des objets colorés qui bougent : rien de plus intrigant pour des bébés de cet âge. Plutôt que de fixer un mobile acheté dans le commerce au plafond ou au lit de votre enfant, mieux vaut avoir recours à un mobile portable que vous placerez dans son champ de vision et qu'il pourra atteindre pour jouer. Ce sera bien plus intéressant. Pour créer un mobile interactif, il vous suffit de nouer quelques rubans de couleurs à l'extrémité des doigts d'un gant. Le mouvement des rubans stimulera les mouvements de la nuque et des yeux à un âge où votre bébé est en train, justement, de développer la force nécessaire pour soulever sa tête, mais a encore tendance à observer le monde sur les côtés. Ce gant-mobile est par ailleurs très facile à glisser dans votre poche lorsque vous quittez la maison : il devient une distraction bien utile en déplacement, en voiture ou dans les magasins.

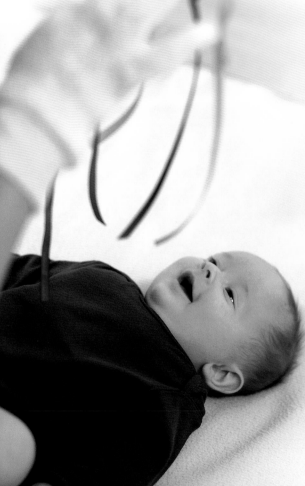

Intégration sensorielle

La combinaison d'une stimulation visuelle et d'une stimulation tactile – le bébé regardant et touchant les rubans – permet au tout-petit de développer sa capacité à poursuivre visuellement un objet, d'améliorer le contrôle de sa tête et d'apprendre à tendre sa main vers un objet. Ce dernier geste l'aide à réduire son réflexe archaïque d'agrippement – l'ouverture et la fermeture automatiques de la main qui lui fait agripper les objets – et à développer progressivement un véritable contrôle de sa main.

Psst...

Ce dont vous avez besoin

Un gant en coton ; des rubans de différentes couleurs.

Capacités développées

Contrôle de la tête et de la nuque ;
poursuite visuelle ;
coordination oculo-manuelle.

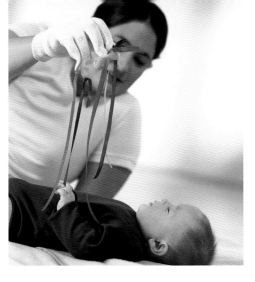

1 Attirez l'attention de votre bébé en agitant les rubans au niveau de sa poitrine ou en la touchant avec. Ne les mettez pas trop près de son visage, car vous risqueriez de l'effrayer.

2 Déplacez le gant-mobile de ce point central vers la droite, puis revenez au centre et allez sur la gauche. Déplacez-le aussi vers le haut, au-dessus de la tête de votre enfant, puis vers le bas, en dessous du niveau de ses yeux. Cela va l'inciter à le suivre du regard et stimuler le contrôle de sa tête.

3 Arrêtez le gant au niveau de la poitrine de votre bébé et laissez-le tendre la main vers les rubans et s'y agripper. En grandissant, il le fera de plus en plus rapidement.

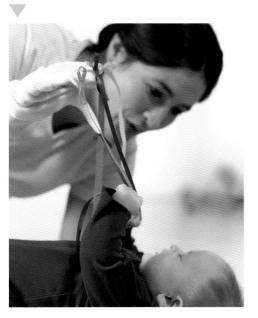

Comment votre bébé évolue-t-il ?

Observez votre enfant : il tourne maintenant sa tête des deux côtés et réussit à la maintenir brièvement au milieu. Sa capacité à suivre visuellement un objet de cette manière l'aide à développer toute une série de mouvements de la nuque. Plus sa capacité à fixer une chose ou une personne s'accroît, mieux il réagit aux stimulations, et plus il se montre capable d'attention.

Qui est dans le miroir ?

Pour un bébé de 2 mois, tout ce qui est hors de sa vue n'existe pas. Au cours de sa première année de vie, le nourrisson apprend progressivement que les personnes et les objets continuent d'exister même lorsqu'il ne les voit plus. Il comprend alors ce qu'est la « permanence de l'objet », ce qui constitue une étape majeure de son développement.

Si vous n'avez pas essayé l'exercice des pages 32 et 33, tentez de faire découvrir le miroir à votre enfant vers l'âge de 2 mois. Il va le regarder, y découvrir son propre visage, puis le vôtre, et sera peut-être surpris de constater que vous êtes à la fois en train de le porter, par exemple, et de le regarder depuis le miroir : c'est le signe qu'il commence à avoir la notion de la permanence des objets. Ce type de jeu de cache-cache l'habituera à la disparition et à la réapparition. Cela l'aidera à comprendre que son environnement reste constant et fiable en dépit de ses changements.

Intégration sensorielle

Un miroir est un moyen très efficace de stimuler le développement visuel et cognitif des nouveau-nés. L'objet offre en effet une vision du monde qui change en permanence. En outre, ces signaux visuels permettront à votre bébé d'apprendre à différencier le monde réel des reflets.

Psst...

Ce dont vous avez besoin

Un miroir incassable de taille moyenne.

Capacités développées

Poursuite visuelle ; conscience de la permanence des objets.

1 Allongez délicatement votre bébé sur le dos et tenez le miroir à environ 25 cm de son visage, de sorte qu'il puisse y voir son reflet. Laissez-le le toucher s'il le souhaite. Cette information tactile supplémentaire l'aidera à faire la distinction entre les reflets et la réalité. Puis levez le miroir de quelques centimètres pour que votre enfant le suive des yeux.

2 Changez alors l'angle du miroir afin que vous puissiez y apercevoir le reflet de votre bébé. Cela implique que celui-ci y voit votre reflet. Entrez et sortez du miroir en disant « coucou » chaque fois que votre reflet réapparaît, et observez la réaction de votre tout-petit. S'il cligne des yeux, c'est un signe de curiosité ; cela montre qu'il analyse de façon critique les informations visuelles qu'il reçoit. Il ferme puis ouvre de nouveau les yeux pour voir si les images changent ou non.

Avec un bébé plus âgé

Jouez au même jeu de cache-cache à l'aide de foulards de différentes couleurs, dont certains sont opaques et d'autres transparents, certains si petits qu'ils ne peuvent cacher que votre visage et d'autres assez grands pour vous dissimuler vous et votre enfant. Ce jeu vous permettra de faire comprendre à votre bébé que les personnes et les choses gardent leur intégrité même si elles changent sous certains aspects. Essayez donc de cacher votre visage derrière un foulard puis de retirer celui-ci pour réapparaître au grand jour. Ou bien mettez le foulard sur le visage de votre enfant (brièvement) : il essaiera peut-être de le retirer lui-même, sinon vous pouvez le lui enlever lentement.

Shooter dans le ballon

Vers l'âge de 3 mois, la plupart des bébés aiment donner des coups de pieds. Cela les aide à développer les muscles et les capacités motrices dont ils auront besoin plus tard pour apprendre à marcher. Le ballon dans lequel votre enfant va donner des coups de pieds offre, du fait de son poids, une légère résistance qui l'aidera à mieux prendre conscience de ses jambes et de ses hanches. Chez certains bébés, il suffit de leur toucher les pieds avec un ballon pour leur faire lever les jambes et donner des coups de pieds. Vous verrez, votre bébé adorera ce jeu : la présence d'un objet contre lequel s'appuyer rend l'activité encore plus satisfaisante. Par ailleurs, le mouvement du ballon l'aidera à comprendre les concepts de cause et d'effet.

Intégration sensorielle

Le contact avec le ballon aide à stimuler le système proprioceptif de votre bébé : sentir le ballon sur la plante de ses pieds l'incite à étirer et contracter ses muscles, ainsi qu'à fléchir ses articulations. À cela s'ajoute le plaisir de voir le ballon rebondir à chaque fois qu'il tape dedans, ce qui stimule aussi son bon développement physique.

Psst...

Ce dont vous avez besoin

Une ficelle, un cordon ou un ruban ;
2 à 3 ballons légers et de tailles variées.

Capacités développées

Aptitude à donner des coups de pied ;
perception du corps.

1 Attachez un ruban, un cordon ou une ficelle à la surface d'un ballon léger. Si possible, accrochez-le au bouchon du ballon, sinon, fixez-le avec un solide ruban adhésif. Allongez votre bébé sur le dos, placez une main sous ses fesses pour surélever ses jambes et, de votre main libre, balancez le ballon devant ses pieds.

2 Placez le ballon contre les pieds de votre bébé pour l'inciter à shooter dedans. Au début, il le fera peut-être sans le faire exprès, mais au fur et à mesure qu'il verra et sentira le ballon bouger, il comprendra qu'il peut obtenir le même effet intentionnellement. De cette manière, il apprendra qu'il est capable d'influencer le monde qui l'entoure.

3 Une fois que votre tout-petit aura compris l'exercice, recommencez avec des ballons de différentes tailles. Cela le forcera à adapter son geste en conséquence.

Comment votre bébé évolue-t-il ?

À 2 mois, votre bébé semble bouger ses jambes de manière non intentionnelle ; il donne des coups de pieds dans des objets par accident et non de façon voulue. Néanmoins, les sensations de ces mouvements lui deviennent de plus en plus familières. À 3 mois, il fait preuve de beaucoup plus de coordination. À 4 mois, il sera capable de toucher et saisir un ballon entre ses pieds, et à 5 mois, sa coordination main-pied sera peut-être si bonne qu'il pourra faire passer le ballon de ses pieds à ses mains.

De 4 à 5 mois

Votre bébé contrôle maintenant un peu mieux ses mouvements. Au début de son apprentissage moteur, l'enfant vit une brève période de désorganisation, mais même le bébé le plus passif finit par expérimenter le mouvement, que ce soit avec son corps tout entier ou certaines parties uniquement.

À partir du quatrième ou du cinquième mois, et tout au long de la première année, l'activité motrice augmente considérablement, dans la mesure où l'enfant apprend à déplacer et à contrôler son corps dans l'espace. Il dépense de grandes quantités d'énergie à pratiquer sans cesse les activités motrices élémentaires et peut souvent se montrer frustré de ne pas réussir à se déplacer d'un point à un autre. Bien que certains bébés semblent moins actifs et fassent moins de mouvements avec l'ensemble de leur corps, ils s'entraînent à d'autres activités motrices telles que sucer, tendre la main vers un jouet ou l'attraper, voire jouer avec leurs doigts et leurs pieds.

Votre bébé apprendra à atteindre un objet avec précision et à le manipuler. Il développera ainsi la coordination de sa vue, de son toucher et de ses mouvements, une aptitude qui est à la base de la perception de la profondeur, des propriétés physiques des objets et de nombreuses autres caractéristiques telles que la forme, la taille, la nature de la surface ou le poids d'un objet.

Suspendez un jouet au-dessus de lui et observez comment ses mains s'en approchent, comment il apprend à contrôler ses mouvements, comment il prend conscience de la forme de l'objet, de sa position et de la distance qui le sépare de lui. Une fois qu'il aura posé ses mains sur un objet, il l'étudiera avec tous ses sens.

À cet âge, les bébés adorent mettre tout ce qu'ils trouvent dans leur bouche. C'est que celle-ci est pour eux un organe sensoriel bien plus important que pour les enfants plus âgés ; d'ailleurs, ceux qui ont commencé à parler perdent de leur intérêt pour ce type d'investigation buccale. Lorsqu'un bébé met un objet dans sa bouche, il développe dans son cerveau un modèle mental de cet objet et travaille donc à la découverte de son environnement. C'est très important, même si cela ne signifie pas qu'il doive tout mettre dans sa bouche, évidemment : assurez-vous que les objets à sa portée ne sont pas toxiques et qu'ils sont assez gros pour qu'il ne s'étouffe pas avec.

De fascinants petits pieds

À 4 mois, les muscles abdominaux et les muscles des cuisses de votre bébé se sont renforcés ; il est capable de lever ses jambes et de toucher ses genoux avec ses mains. Vers le cinquième et le sixième mois, il parvient le plus souvent à attraper ses pieds et à les mettre dans sa bouche, car il contrôle de plus en plus les extrémités de ses membres supérieurs et inférieurs.

Observez-le alors qu'il joue avec ses pieds et ses mains et qu'il développe sa coordination oculo-manuelle. Fabriquez pour lui une paire de chaussettes-hochets afin d'attirer son attention. Lorsque l'enfant vise son pied, il n'est pas rare qu'il ne tende pas les bras assez haut, mais il apprend très vite à adapter son geste à son objectif et à se saisir de ce dernier. Sa capacité à maintenir une position centrale pour jouer avec ses pieds et ses mains montre qu'il est en train d'apprendre à équilibrer et contrôler les muscles fléchisseurs et extenseurs de ses hanches. Une bonne interaction entre ces muscles lui sera nécessaire, plus tard, pour s'asseoir et rester stable.

Intégration sensorielle

L'activité suivante pousse votre bébé à prendre encore plus conscience de son corps en l'explorant et encourage stimulation tactile et auditive. Elle favorise la coordination de la partie du cerveau utilisée par la vue avec celle utilisée par le toucher.

Psst...

Ce dont vous avez besoin
Grelots, strass et autres petits objets brillants ; une paire de chaussettes.

Capacités développées
Coordination des deux côtés du corps ; contrôle des hanches ; coordination oculo-manuelle.

1 Cousez sur une paire de chaussettes quelques petites babioles capables d'attirer l'attention de votre bébé : grelots, perles, strass ou boutons. Allongez votre bébé sur le dos et passez-lui ces chaussettes. Au besoin, soulevez-lui un peu les fesses et agitez ses pieds pour attirer son attention.

2 Observez la manière dont il tend les mains vers ses pieds et joue avec. Vers 6 mois, le tout-petit commence normalement à jouer avec ses deux mains sur un seul pied. Cela montre qu'il prend conscience de la ligne médiane de son corps et devient capable de la traverser. Si votre bébé réussit à arracher l'un des objets de ses chaussettes, retirez-le-lui avant qu'il essaie de le mettre dans sa bouche.

Faire rebondir un ballon

Procurez-vous des ballons de baudruche de bonne qualité à l'intérieur desquels vous insérerez un objet ou une matière qui va produire un bruit dès que le ballon sera secoué : il peut s'agir de grelots, de sable, d'eau, de pâtes, etc. À vous de faire preuve d'imagination. Gonflez ensuite vos ballons et accrochez un ruban sur chacun d'entre eux.

Allongez votre bébé sur le dos et présentez-lui chacun des ballons, un par un, au niveau de sa poitrine. Les objets insérés dedans les empêcheront de monter trop haut dans les airs. Plus lourds, ils seront plus faciles à saisir ou à frapper avec les pieds ou les mains. Si votre enfant en a assez d'être couché sur le dos, mettez-le sur le ventre. Cela l'aidera à mieux contrôler sa nuque. Vous pouvez aussi l'asseoir, à condition de le soutenir sous les bras avec vos mains, car le bas de son dos n'est pas encore assez musclé pour supporter son poids.

Un mobile fait maison

À cet âge, les capacités visuelles, tactiles et motrices de votre enfant se sont améliorées et lui permettent d'avoir un contact plus constant avec les jouets. Il est ravi de pouvoir les mettre dans sa bouche afin de les explorer d'encore plus près. Il est aussi plus à même de les examiner, grâce à son sens du toucher plus performant. Il n'apprécie pas seulement le fait de regarder un mobile, il a aussi envie de tendre les mains vers lui et de le toucher.

Si vous souhaitez que le mobile soit vraiment stimulant et que votre bébé joue avec, le mieux est de le fabriquer vous-même. Vous pouvez, par exemple, prendre un petit séchoir à linge à pinces et y accrocher des objets. Cela vous permettra d'intervertir ces derniers, voire de les changer quand bon vous semblera. Les nourrissons sont surtout attirés par les visages : dessinez ou découpez des visages de bébés ou, mieux encore, utilisez des photos des membres de votre famille ou de proches. Couvrez ces images d'un film transparent ou faites-les plastifier, afin que votre bébé ne soit pas en contact des colorants et autres produits chimiques contenus dans les papiers et les photos.

Intégration sensorielle

Cette activité aidera votre enfant à prendre conscience de la position de ses mains dans l'espace. Pour apprendre, il a besoin de les utiliser avec précision, de savoir se servir de son sens du toucher et d'analyser les messages envoyés par ses muscles et ses articulations (proprioception).

Psst...

Ce dont vous avez besoin
Un mini-étendoir à pinces ou du matériel pour fabriquer un mobile ; des objets colorés à accrocher au mobile.

Capacités développées
Coordination oculo-manuelle ; maniement d'objets.

1 Allongez délicatement votre bébé sur le dos et suspendez votre mobile au-dessus de sa tête. Il se peut que votre tout-petit en ait peur au début ; aussi, placez-le à distance afin de lui laisser le temps de s'y habituer. Sa curiosité devrait bientôt être plus forte que son appréhension. Souriez à votre enfant et parlez-lui.

2 À présent, déplacez le mobile de sorte qu'il soit à portée de votre bébé. Soufflez doucement dessus pour le faire bouger ou bien agitez certains des objets qui y sont pendus pour attirer l'attention de votre enfant. Ce dernier devrait réagir en tendant les mains pour saisir les divers éléments du mobile suspendus au-dessus de lui.

ATTENTION !

Les bébés trouvent les jouets faits maison, comme le mobile ci-dessus, beaucoup plus intéressants que ceux qui coûtent cher en magasin. Mais veillez à ce que ces jouets soient sûrs. Si votre enfant est rapide et plutôt fort, il pourrait par exemple tirer les objets du mobile et les mettre dans sa bouche. Il est donc important que vous choisissiez ceux qui ne peuvent être cassés et qui ne présentent aucun risque d'étouffement.

3 Quels sont les objets que votre enfant semble préférer ? Qu'est-ce qu'il aime regarder ou prendre ? Changez-les régulièrement pour qu'il continue d'être intéressé et stimulé.

La chasse à l'escargot

Autour de 4 ou 5 mois, votre bébé tend la main franchement vers les objets et essaie de les manipuler. Cela implique un minimum de contrôle des mains, mais aussi, pour localiser et atteindre l'objet, une grande maîtrise du corps et de la coordination.

L'exercice proposé ici aidera votre enfant à se concentrer, à renforcer les muscles de sa nuque et à améliorer le contrôle du haut de son corps. En essayant d'attraper son jouet d'une main, il commencera même peut-être à pousser sur son autre bras ou sur ses jambes, s'il peut prendre appui sur quelque chose derrière lui. Cette réaction visant à déplacer son centre de gravité est à la base de toute locomotion bilatérale normale (marcher à quatre pattes, ramper, grimper et marcher).

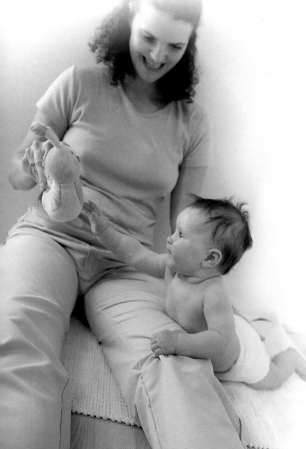

Intégration sensorielle

La réaction d'adaptation de l'enfant qui cherche à atteindre un jouet va aider son cerveau à se développer et à s'organiser. L'exercice suivant met ainsi en jeu la coordination de la vue, du toucher et de la perception de la profondeur, et il implique la prise de conscience que les objets ont une forme, une taille, une surface ou un poids particuliers. Toutefois, personne ne peut réagir à la place de son enfant, c'est quelque chose qu'il doit faire de lui-même.

Psst...

Ce dont vous avez besoin
Le jouet favori de votre bébé.

Capacités développées
Poursuite visuelle ; contrôle du haut du corps, de la tête aux hanches ; capacité à atteindre un objet et à pousser.

1 Asseyez-vous par terre, jambes tendues. Allongez votre bébé sur le ventre, sa poitrine sur l'une de vos jambes de telle sorte que ses épaules et ses bras puissent se mouvoir librement. Prenez son jouet coloré favori et montrez-lui comment il bouge en l'air : déplacez-le lentement vers la droite, puis la gauche, en haut et en bas, en cercle et en diagonale. Plus le champ de vision de votre bébé sera grand, plus il montrera de curiosité et plus il cherchera à attraper son jouet avec enthousiasme.

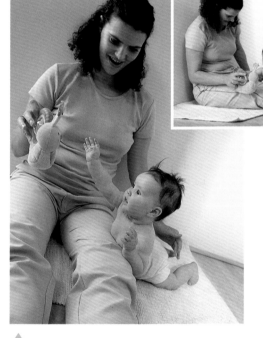

2 Placez le jouet un peu plus loin qu'à la portée de votre enfant, afin de l'inciter à s'étirer de plus en plus. Posez une de vos mains derrière ses pieds pour lui fournir un appui contre lequel pousser. S'il se désespère parce qu'il n'arrive pas à attraper son jouet, donnez-le-lui. Cette activité est censée être amusante ! Réessayez après une petite pause.

Faire l'avion

C'est toujours très drôle de voir un bébé « faire l'avion », en équilibre sur son ventre, les bras et les jambes en l'air, comme s'il volait. Souvent, c'est aussi l'occasion de prendre une jolie photo, parce qu'ils ont en général à ce moment-là un regard très déterminé ou plein d'allégresse. Allongez votre petit sur vos genoux, afin qu'il ait la sensation de se déplacer dans les airs. Et si vous voulez le faire rire, essayez donc de faire l'avion par terre à côté de lui !

Debout comme un grand

Vers 4 mois, la poigne de votre bébé devient suffisamment puissante pour qu'il reste agrippé à vos doigts lorsque vous le tirez pour le faire s'asseoir ou se mettre debout. À 5 mois, il sera peut-être même capable de fléchir les coudes au niveau de sa poitrine pour se tirer lui-même vers le haut. S'il est capable de plier ses bras sans soulever ses épaules, c'est le signe qu'il est assez fort pour que vous continuiez de le tirer jusqu'à ce qu'il soit debout. Il peut aussi supporter presque tout son poids sur ses jambes. Observez votre corps lorsqu'il passe de la position assise à debout pour vous aider à guider votre bébé. Cette activité n'a pas pour objectif d'apprendre à votre enfant à s'asseoir ou à se tenir debout. En effet, cela doit lui venir naturellement et dépend du rythme de développement qui lui est propre. L'exercice suivant vise plutôt à favoriser la fixation visuelle afin de renforcer la stabilité de la tête, ainsi qu'à améliorer la capacité à saisir et à développer un bon contrôle des abdominaux, des hanches et des genoux. Il renforce également les muscles des jambes et favorise l'équilibre.

Intégration sensorielle

Votre enfant apprenant à assimiler les informations qui lui sont transmises par ses différents sens, ses muscles vont réagir aux changements de position en se contractant pour maintenir son corps dressé et contrôler ses mouvements.

Psst...

Ce dont vous avez besoin
Pas de matériel.

Capacités développées
Contrôle et équilibre du corps dans son ensemble.

1 Allongez délicatement votre bébé sur le dos et laissez-le s'accrocher à vos index. Placez vos pouces sur le dos de ses mains de façon à bien le tenir au cas où il lâcherait prise involontairement. Faites aussi en sorte que ses jambes ne soient pas croisées.

2 Lorsque votre enfant vous tient bien, faites pivoter le haut de son corps d'un côté, de manière à ce que sa tête reste bien alignée avec son buste, puis ramenez vos mains vers votre poitrine. Essayez de faire en sorte qu'il se tire lui-même vers le haut, si possible. Il va lever la tête, fléchir les coudes et s'asseoir.

3 Pour amener votre bébé à se dresser debout sur ses pieds, tirez-le lentement vers l'avant. Lorsque ses genoux s'aligneront avec ses pieds, il va normalement se lever tout seul sans que vous ayez besoin de tirer. Parlez-lui, de sorte que ses yeux restent fixés sur votre visage et que sa tête soit bien droite. Dès qu'il sera debout, récompensez-le d'un grand sourire.

Avec un bébé plus âgé

Faites le même exercice en utilisant une baguette chinoise ou une cuillère en bois à long manche. Cela forcera votre petit à adapter sa prise en main et à contrôler son corps sans votre aide, ce qui lui donnera plus de confiance en lui. Gardez une main derrière son dos au cas où il lâcherait prise et tomberait en arrière.

4 Doucement, poussez les mains de votre enfant en arrière pour l'aider à se rasseoir, en contrôlant son mouvement par le biais de ses bras qui se fléchissent. Puis, à partir de cette position, guidez-le vers le sol jusqu'à ce qu'il soit de nouveau allongé sur le dos.

Décollage !

À 5 mois, votre bébé entre dans une phase plus active. Il adore être soulevé dans les airs et il saute de mieux en mieux avec un peu d'aide. Les muscles de son dos et de sa nuque sont maintenant assez forts pour qu'il se tienne droit ; ses jambes se fléchissent dès qu'il atterrit et s'étendent pour décoller ; ses muscles abdominaux se contractent pour supporter le poids qui pèse sur ses hanches et ses jambes. En général, les bébés ne se lassent pas de ce type d'activité. Le mouvement de haut en bas augmente leur champ de vision et constitue un exercice stimulant et revigorant. Évidemment, si votre enfant montre des signes de lassitude, arrêtez-vous. Cela dit, il est plus probable que vos bras se fatiguent avant.

Intégration sensorielle

À ce stade, le bébé est en général capable de mettre en relation les sensations dues à la gravité et celles dues au mouvement. La stimulation kinesthésique provoquée ici par le mouvement de haut en bas développe orientation spatiale et sens de l'équilibre (système vestibulaire), ce qui aide l'enfant à progresser dans son développement moteur. Il suffit d'observer le visage de votre nourrisson pour vous apercevoir de la joie que lui procure ce type de stimulation vestibulaire.

Psst...

Ce dont vous avez besoin
Pas de matériel.

Capacités développées
Contrôle des jambes ; perception du corps ;
orientation dans l'espace.

1 Prenez votre enfant sous les bras et levez-le pour le mettre debout. N'oubliez pas de le faire pivoter légèrement sur le côté avant de le soulever, afin qu'il réussisse à porter sa tête. Ses pieds doivent effleurer le sol et être à plat.

2 Baissez lentement votre enfant vers le sol, jusqu'à ce que ses genoux se fléchissent. Et aidez-le à pousser pour décoller de nouveau, jusqu'à ce que ses jambes soient complètement tendues. Poursuivez le mouvement en le levant en l'air devant vous.

3 Soulevez votre bébé au-dessus de vous. En général, la sensation de voler fait rire gaiement les petits. Souriez à votre enfant et encoura-gez-le. Puis ramenez-le à la position de départ (debout) et répétez l'exercice aussi souvent qu'il le désire.

Des petits sachets tout mous

Remplissez de différentes quantités d'eau des sachets de congélation résistants et zippés. Versez dans chacun quelques gouttes de colorant alimentaire, ainsi que quelques objets tels que des morceaux de légumes crus. Utilisez de l'eau froide pour certains et de l'eau chaude pour d'autres. Votre bébé sentira le poids du sachet que vous lui aurez donné dans une main et le transférera peut-être dans l'autre. Vous pouvez aussi placer un sachet sur dif-férentes parties de son corps pour lui faire ressentir des sensations diverses.

De 6 à 7 mois

Votre bébé est maintenant très actif. Il roule sur lui-même et bouge d'un côté à l'autre ; peut-être même qu'il rampe. Il est en train de devenir très indépendant. Attendez-vous au pire ! Des plantes vont être renversées et des chaises risquent de basculer... Tout cela au nom de la recherche, bien entendu.

À ce stade de développement, l'enfant ressent instinctivement un fort besoin de se mettre debout. Mais les premières tentatives pour se hisser sur ses mains et ses genoux risquent d'être très frustrantes. Les activités suivantes ont donc été conçues pour aider votre nourrisson à acquérir la force musculaire et la coordination nécessaires pour marcher à quatre pattes. Les jeux faisant intervenir ses mains ou ses pieds sont aussi très importants pour ses sens tactile et visuel.

Votre bébé réussit à atteindre ses objectifs avec de plus en plus de précision et il améliore régulièrement sa motricité fine, c'est-à-dire l'utilisation de ses doigts et de ses mains lors de petits mouvements coordonnés. Après avoir appris à se saisir d'un jouet, il va s'entraîner à le faire passer d'une main à l'autre. Dans ce chapitre, nous travaillerons aussi cette capacité à atteindre, puis à manipuler les objets.

Gardez-vous de comparer le développement de votre enfant avec celui des autres du même âge, ou aux courbes et listes que vous trouverez dans les livres. Votre bébé est unique. Il ne passera les étapes de son développement que lorsqu'il sera prêt à le faire, d'un point de vue physique, mental, cognitif et social. Vers 7 mois en particulier, le rythme du développement peut être très différent d'un enfant à l'autre. À vous de respecter l'individualité du vôtre et de ne pas le presser !

Que votre bébé marche à quatre pattes à 6 ou à 10 mois aura peu d'importance dans sa vie future. Les activités proposées n'ont pas pour but de faire de lui un champion de gymnastique ou de piste de course, ni de faire en sorte qu'il soit « meilleur » que les autres enfants. Elles ont été conçues pour que vous puissiez juger du développement – merveilleux – de votre bébé, pour vous donner l'occasion de jouer avec lui, pour structurer vos jeux et vous aider à passer des moments agréables ensemble.

Avec des plumes

Les bébés sont fascinés par les plumes : plus elles sont douces et colorées, mieux c'est. Utilisez-en une pour caresser votre enfant du haut de sa tête à ses orteils, de sorte qu'il prenne conscience des endroits où son corps commence et de ceux où il se termine. Essayez aussi de placer la plume entre ses orteils, pour qu'il tende ses mains dans le but de l'attraper. Il apprendra ainsi comment maîtriser leurs mouvements grâce à sa vue : cela stimule la coordination visuo-motrice et améliore en même temps le contrôle des mouvements des membres inférieurs.

Intégration sensorielle

Cet exercice agit principalement sur le sens du toucher de votre enfant. Les récepteurs du toucher envoient à son cerveau des messages qui l'aident à orienter sa vue vers la source de stimulation. Votre petit analyse et recoupe les sensations ressenties par les muscles et les articulations de ses bras, de ses mains, de ses jambes et de ses pieds, et décide de tendre une ou deux mains pour attraper la plume. Il va passer une main au-dessus de son centre de gravité pour atteindre son pied opposé et parviendra à s'emparer de la plume avec de plus en plus d'efficacité, en utilisant sa main comme une pince. Savoir traverser la ligne médiane du corps est vital pour le développement équilibré des hémisphères droit et gauche du cerveau.

Psst...

Ce dont vous avez besoin
Une plume de couleur vive d'environ 10 à 25 cm de longueur.

Capacités développées
Coordination oculo-manuelle ; dissociation du haut et bas du corps ; souplesse des hanches.

1 Allongez délicatement votre bébé sur le dos et agitez la plume devant lui pour attirer son attention. Puis caressez-lui le corps avec, du sommet de son crâne à la pointe de ses orteils.

3 Une fois que votre bébé a attrapé la plume, laissez-le jouer avec aussi longtemps qu'il le souhaitera, mais veillez à ce qu'il ne la mette pas dans sa bouche. Ensuite, demandez-lui de vous la rendre. Au début, il vous faudra probablement la lui prendre des mains, mais remerciez votre enfant comme s'il vous l'avait tendue.

2 À présent, essayez de placer la plume entre deux de ses orteils. S'il n'y prête pas attention, soulevez-lui la jambe pour la lui montrer et le stimuler visuellement. En essayant de l'attraper, il travaillera sa coordination oculo-manuelle.

Comment votre bébé évolue-t-il ?

Faites cet exercice régulièrement et observez comme les réactions de votre enfant à vos stimulations changent et évoluent avec le temps :
- Est-il plus tactile ou visuel en ce moment ?
- Quand vous insérez la plume entre ses orteils, est-ce qu'il les étire ou les recroqueville ?
- Essaie-t-il d'écarter les doigts pour couvrir toute la plume avec ?
- Transfère-t-il la plume d'une main à l'autre, ou bien la met-il directement dans sa bouche ?

La culbute

Votre bébé grandissant, il a besoin d'apprendre comment orienter son corps dans l'espace. Voici donc un exercice visant à le familiariser avec différentes sensations. Au départ, il sera peut-être un peu désorienté d'avoir la tête en l'air et de faire la culbute pour atterrir au sol, mais après quelques essais, il apprendra très vite à s'adapter, quelle que soit la position dans laquelle il se trouve. Plus vous montrerez de l'assurance en le soulevant sur votre épaule, plus il se sentira à l'aise.

Une fois sur votre épaule, votre enfant sera très content de pouvoir regarder autour de lui et soulèvera sa tête, ce qui renforcera les muscles du haut de son corps. Ce type de stimulation vestibulaire va lui permettre d'explorer le monde qui l'entoure suivant de nombreux angles.

Intégration sensorielle

Les informations en provenance du système vestibulaire sont traitées dans le cortex cérébral avec celles du système proprioceptif et des organes de la vision. Elles permettent à votre bébé de savoir où il se trouve dans l'espace et lui indiquent comment réagir pour maintenir sa position et son équilibre.

Psst...

Ce dont vous avez besoin

Pas de matériel.

Capacités développées

Développement des muscles du dos ; souplesse des hanches ; conscience de l'espace.

1 Allongez délicatement votre bébé sur le dos en plaçant ses pieds vers l'extérieur et sa tête de votre côté. Attrapez-le fermement autour de sa cage thoracique avec vos pouces côté face et vos autres doigts bien écartés sur son dos.

2 Comme toujours, faites légèrement pivoter votre tout-petit sur le côté avant de le soulever. Puis, lentement, faites-lui faire la culbute et soulevez-le jusqu'à le poser sur l'une de vos épaules. Si vous l'avez fait pivoter sur son flanc gauche, il devrait atterrir sur votre épaule gauche et vice versa. En général, les bébés tendent alors les bras et relèvent la tête.

3 Pour remettre votre enfant dans sa position initiale, placez une main sur ses fesses et l'autre derrière sa nuque afin de lui soutenir la tête. Penchez-vous en avant et faites-lui faire de nouveau la culbute jusqu'au sol. Son dos et ses épaules doivent être les premiers à toucher le sol. Pendant tout l'exercice, parlez à votre bébé et encouragez-le.

Superbébé

Si vous êtes en confiance et que votre enfant semble apprécier le jeu, essayez de vous lever et de marcher un peu, avec lui faisant l'avion sur votre épaule. N'oubliez pas, alors, de lui sourire et de lui parler.

À quatre pattes

Vers 6 mois, la plupart des bébés aiment être à plat ventre : cela leur permet de pousser sur leurs bras, de déplacer leur centre de gravité, de tendre la main vers un objet et d'attraper des jouets de différentes tailles. Si le vôtre n'aime pas cette position, c'est peut-être parce que vous lui facilitez trop la tâche en lui mettant les jouets directement dans les mains, ou si proches qu'il n'a pas de réelles difficultés à les prendre. Le type d'exercice proposé ici vous aidera à le stimuler et à lui poser des défis.

Votre tout-petit a très envie d'avancer, mais il n'en a pas toujours la capacité : se propulser en avant implique une combinaison de mouvements qui apparaît le plus souvent au septième mois. Toutefois, avec un peu d'aide – en le guidant d'une main ou en lui offrant votre jambe pour qu'il s'appuie contre elle avec ses pieds – votre bébé devrait parvenir à se mettre en route.

Intégration sensorielle

Tendre les mains vers un objet aide le cerveau de l'enfant à se développer et à s'organiser. Lorsqu'il tend les bras et se déplace vers l'avant, le bébé a besoin de coordonner ses membres et de réagir aux informations variées qui lui parviennent de ses sens. La pratique de ces mouvements l'aide donc à comprendre comment son corps fonctionne.

Psst...

Ce dont vous avez besoin
Le jouet favori de votre bébé.

Capacités développées
Aptitude à atteindre un objet et à pousser sur un appui ; rudiments de la marche à quatre pattes.

1 Asseyez-vous par terre, jambes tendues devant vous. Posez votre bébé sur le ventre, de telle sorte que son buste repose sur votre jambe gauche. Il faut qu'il ait suffisamment d'espace pour pouvoir pousser avec ses pieds sur votre jambe droite et se propulser en avant.

2 Tenez un jouet hors de portée de votre enfant afin de l'inciter à passer par-dessus votre jambe. Il va donner des coups de pieds en arrière et tendre les bras vers son jouet. Ce faisant, il va commencer à se déplacer sur votre jambe. Observez la manière dont il utilise ses bras pour ne pas s'affaler au sol. Mettez une main sur ses fesses afin de pouvoir réagir s'il se précipite et perd son équilibre.

3 Embrassez votre bébé dès qu'il parvient à son but ! Puis retournez-le dans la direction opposée et répétez l'exercice. S'il comprend facilement le jeu, vous pouvez en augmenter la difficulté en vous allongeant sur le côté et en lui demandant cette fois-ci de grimper par-dessus vos jambes réunies ou vos hanches.

Comment votre bébé évolue-t-il ?

Votre enfant expérimentera de nombreuses méthodes différentes avant d'opter pour la technique conventionnelle du quatre pattes alterné :
- Il peut se traîner au sol sur le ventre.
- Certains préfèrent rouler sur eux-mêmes au travers de la pièce pour atteindre leur but.
- D'autres rampent sur les coudes comme les militaires des commandos.
- Enfin, certains optent pour la marche arrière sur les fesses en poussant sur leurs bras.

S'asseoir et atteindre

De 6 à 7 mois, les bébés commencent à développer le contrôle de leur tronc et de leurs hanches, lequel est nécessaire pour se tenir bien droit en position assise. Ils sont parfois capables de s'asseoir seuls par terre, en supportant le poids de leur corps à l'aide d'un bras appuyé au sol. Si on leur apporte un peu plus de soutien, ils lèvent les deux mains et sont contents de jouer dans cette position. L'activité suivante incite l'enfant à tendre la main vers un objet qui se trouve tout juste hors de sa portée. Vous aurez probablement besoin de soutenir votre bébé, car dès qu'il tournera sa tête sur le côté, son centre de gravité se déplacera et il risquera de tomber. Tendre la main vers quelque chose, même si cela entraîne une chute, est une action qui aide au développement des capacités cognitives et de perception. Chaque mouvement permet à l'enfant d'en apprendre plus sur la pesanteur et sur ses propres aptitudes.

Intégration sensorielle

Les informations en provenance du système vestibulaire du bébé participent de la perception du corps et de la planification motrice, qui sont nécessaires pour passer d'une position assise à la marche à quatre pattes. Elles guident les mouvements de l'ensemble du corps de l'enfant.

Psst...

Ce dont vous avez besoin
Le jouet favori de votre bébé.

Capacités développées
Contrôle du haut du corps ; aptitude à tendre les mains vers un objet.

▲

1 Asseyez votre bébé par terre en le tenant par la taille. Posez un jouet à côté de lui, tout près pour commencer. Il va alors tourner la tête vers son jouet et commencer à faire pivoter son tronc et ses épaules. Il posera peut-être une main par terre pour soutenir le haut de son corps, mais gardez tout de même l'une de vos mains devant lui pour réagir en cas de chute. Laissez-le jouer avec son jouet pendant un moment, puis déplacez-le de l'autre côté de son corps.

Le tourniquet

Allongez votre bébé sur le ventre et posez l'un de ses jouets préférés légèrement hors de sa portée, mais dans son champ visuel. Il se lancera dans une incroyable série de mouvements pour l'atteindre. Il regardera son jouet et se dressera sur ses bras.

Il pourra aussi faire passer un bras par-dessus l'autre, libérer le bras du dessous et le tendre vers le jouet qu'il attrapera avec ses doigts.

Le haut de son corps va pivoter et ses genoux se fléchir afin de permettre à ses fesses de se soulever, pour qu'il puisse tenter d'avancer.

Il répétera le même mouvement jusqu'à ce qu'il atteigne son jouet ou se fatigue d'essayer. Plus vous jouez avec lui, plus il pivotera rapidement sur lui-même. Bientôt, il sera capable de faire un tour complet à 360 degrés. C'est une acquisition importante qui lui permettra ensuite de se dresser et de marcher à quatre pattes.

▲

2 Poussez son jouet pour qu'il soit légèrement hors de sa portée. Cela incitera votre enfant à soulever ses hanches et à prendre appui sur ses genoux. Il finira par se mettre à quatre pattes ou par s'allonger sur le ventre afin de se rapprocher de son jouet. Laissez-le jouer avec pendant quelques instants, avant de répéter l'exercice à nouveau de l'autre côté.

Quelques tractions ?

Vous avez découvert, pages 68 et 69, comment votre bébé peut tirer sur ses bras pour se mettre debout à l'aide de vos doigts ou d'une baguette. Entre 6 et 7 mois, il commence en principe à apprendre comment se mettre debout en prenant appui sur tout type d'objet fixe. Quand vous essaierez de faire avec lui les mouvements correspondants pour la première fois, il appréciera probablement que vous l'aidiez d'une ou des deux mains. Puis il se mettra à utiliser votre corps comme un meuble, c'est-à-dire un objet solide et stable sur lequel il pourra prendre appui pour essayer de se dresser. Il adorera la nouvelle perspective sur le monde que lui offre la position debout.

Intégration sensorielle

Pour trouver son équilibre, votre bébé apprend à placer ses jambes dans l'alignement de ses hanches et s'appuie sur trois points : ses deux pieds et l'une de ses mains. Il apprend à contrôler son corps et reste stable une fois debout. Ce type de coordination motrice et d'équilibre implique l'intégration des systèmes vestibulaire et proprioceptif, ainsi que des messages issus des récepteurs tactiles. Quand un bébé explore son environnement debout, il en apprend beaucoup plus sur la hauteur, les distances et l'espace en général.

Psst...

Ce dont vous avez besoin
Un meuble stable, comme une chaise ;
le jouet favori de votre bébé.

Capacités développées
Contrôle et équilibre de l'ensemble
du corps.

1 Choisissez une surface stable et horizontale comme le siège d'une chaise ou le plateau d'une table basse : toute surface qui est plus haute que les épaules de votre bébé quand il est assis, mais qui est aussi suffisamment basse pour qu'il puisse l'atteindre. Asseyez-vous en face de cette surface et étendez une jambe en dessous. Asseyez votre tout-petit à califourchon sur celle-ci. Ses pieds doivent toucher le sol.

2 Posez un jouet sur la surface, légèrement hors de portée de votre bout de chou. Ce dernier va alors essayer d'attraper son jouet en poussant sur le sol, en se penchant en avant et en se levant. Une fois qu'il aura réussi à le prendre, il ne sera pas improbable qu'il oublie de se tenir. Préparez-vous au besoin à le soutenir un peu !

3 Montrez à votre enfant comment garder son équilibre en se tenant d'une main et en prenant son jouet de l'autre. Posez votre main sur la sienne et appuyez un peu, de sorte qu'il en sente le poids sécurisant. Répétez cette activité afin qu'il comprenne comment procéder. Bientôt, il n'aura plus besoin de votre jambe pour l'aider à se lever !

Comment votre bébé évolue-t-il ?

Votre enfant doit être capable de se hisser debout en s'appuyant sur un meuble, avant de se tenir debout en prenant appui sur une surface plane verticale, comme un mur. Ensuite, il lâchera le mur et il ne lui restera qu'un tout petit pas à faire pour vivre ce moment historique où il commencera à marcher tout seul.

Apprendre à s'accroupir

Votre bébé se met maintenant debout avec facilité, mais il a tendance à retomber lourdement en arrière sur ses fesses ou à crier pour demander de l'aide parce qu'il ne parvient pas à s'asseoir. Quel est le secret pour reprendre la position assise avec grâce ? Fléchir les genoux ! Un nouveau défi ! L'activité suivante enseignera à votre enfant comment faire. Ce faisant, il apprendra aussi à s'asseoir avec délicatesse. S'il doit prendre un jouet au sol, il écartera les pieds pour ne pas perdre son équilibre, reportera son poids sur la jambe la plus proche du jouet, fléchira les genoux et abaissera les fesses : autant de mouvements délicats à enchaîner pour un tout-petit...

Intégration sensorielle

En essayant différents mouvements et en les répétant, l'enfant apprend à utiliser son corps dans des situations variées. Il découvre la profondeur et la hauteur, l'équilibre et le contrôle, soit autant de connaissances et d'aptitudes importantes pour mettre en relation et exploiter les informations qu'il reçoit par le biais de ses différents sens.

Psst...

Ce dont vous avez besoin

Un meuble stable, comme une chaise ; quelques-uns des jouets favoris de votre bébé.

Capacités développées

Fléchissement des genoux ; contrôle et équilibre de l'ensemble du corps.

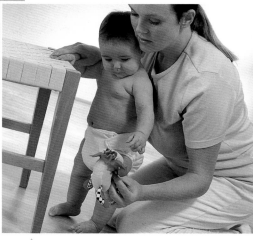

1 Tout d'abord, il faut vous assurer que votre bébé peut rester debout en se tenant à un objet stable tel qu'une chaise, sans que vous le souteniez. Ses deux pieds doivent être plantés fermement dans le sol et écartés à peu près de la largeur de ses épaules. Posez votre main sur la sienne pour l'aider à rester debout.

2 Posez un jouet sur la chaise, puis faites en sorte que votre bébé le suive avec sa main tandis que vous le déplacez vers le sol. Il comprendra peu à peu qu'en se penchant en avant et en pliant les genoux, il continue d'atteindre l'objet.

3 Mettez de nouveau votre enfant debout et posez quelques jouets au sol près de ses pieds. Il essaiera peut-être de les atteindre sans plier les genoux, voire tombera sur ses fesses : soyez donc prêt à le rattraper. À un moment donné, il comprendra que fléchir ses genoux est la solution.

Un petit peu de soutien

Vers 7 mois, la plupart des bébés adorent rester sur le ventre pour explorer leur environnement, mais tous les petits ne sont pas assez forts pour pousser sur leurs bras. Si le vôtre éprouve des difficultés à supporter son poids, il vous sera reconnaissant de l'aider un peu.

Pliez une longue serviette dans le sens de la longueur et installez-y votre bébé en plaçant sa poitrine au centre du tissu. Posez un jouet à une bonne distance devant lui. Prenez les extrémités de la serviette et soulevez votre enfant du sol pour le mettre à quatre pattes. Ne levez pas trop la serviette, afin qu'il supporte une partie de son poids lui-même.

Ping-pong sur miroir

Voici l'une des activités du programme PEKiP qui a le plus succès. Les bébés sont fascinés par les mouvements des balles, par le bruit qu'elles font en roulant et en rebondissant, et par leur propre reflet ainsi que celui des balles dans le miroir.

En regardant votre enfant jouer à ce jeu et tendre les mains pour se saisir des balles, vous vous demanderez peut-être s'il est droitier ou gaucher. Mais à ce stade, il est trop tôt pour le dire. La plupart des bébés vont préférer une main pendant un moment, puis passer à l'autre. Ce n'est que vers l'âge de 2 ou 3 ans que l'on peut déterminer avec certitude qu'un enfant est droitier ou gaucher. En attendant, offrez à votre bébé la possibilité de choisir la main qu'il souhaite utiliser, plutôt que d'encourager la domination de tel ou tel hémisphère cérébral.

Intégration sensorielle

Ce jeu stimulant favorise une bonne coordination oculo-manuelle. Votre bébé absorbera différentes informations sensorielles visuelles, auditives et tactiles puisqu'il va sentir les balles dans ses mains ou avec sa bouche. Ce faisant, il développera certaines des capacités dont il a besoin pour comprendre son environnement.

Psst...

Ce dont vous avez besoin

Un grand miroir incassable ; des balles de ping-pong de différentes couleurs.

Capacités développées

Poursuite visuelle ; coordination oculo-manuelle ; contrôle de la tête et de la nuque ; maniement d'un objet.

1 Posez un miroir sur le sol. Installez une serviette roulée sous la poitrine de votre bébé, de sorte que ses épaules n'aient pas à supporter tout son poids et qu'il puisse bouger les bras librement. Il sera plus à l'aise. Puis laissez votre bébé regarder son reflet dans le miroir.

2 Faites rouler lentement vos balles l'une après l'autre au travers de la surface du miroir, en laissant à votre enfant le temps de comprendre ce qu'il se passe. Une fois qu'il s'y est habitué, faites rebondir, tournoyer ou se heurter les balles, ou bien alignez-les simplement sur le miroir.

3 Votre bébé va probablement attraper les balles : il lui faudra faire preuve de motricité fine pour s'en saisir, les porter à sa bouche, les transférer d'une main à l'autre ou les jeter et les faire rebondir.

Un artiste en herbe

Les miroirs permettent toutes sortes de jeux. Essayez donc de verser du lait de toilette pour bébé ou toute substance similaire sur un miroir et permettez à votre enfant de la toucher ou de dessiner avec. C'est une grande expérience tactile pour lui. Tout bébé qui se respecte est prêt à se salir un peu ! Attention, si votre enfant a tendance à mettre tout ce qu'il touche dans sa bouche, utilisez des substances comestibles, comme de la crème fouettée ou du yaourt, ou occupez sa bouche avec une tétine.

De 8 à 9 mois

Vers 8, 9 ou 10 mois, les bébés commencent à maîtriser véritablement la marche à quatre pattes. Ils apprennent à prendre appui de façon alternée sur leurs mains et leurs genoux pour se déplacer en avant : la main droite et le genou gauche avancent ensemble, puis viennent la main gauche et le genou droit. Ce mouvement coordonné des membres antérieurs et postérieurs est automatique, mais vous favoriserez chez votre bébé la conscience de son propre corps en l'incitant à s'adapter à différentes natures d'espaces sous des tables ou des chaises, à grimper et à descendre des marches d'escalier et à explorer de fond en comble son environnement.

La marche à quatre pattes joue un rôle déterminant dans le développement des muscles de la colonne verté-brale, du dos et de la nuque de votre enfant. Il est donc recommandé de l'inciter à marcher à quatre pattes avant de s'asseoir. Les parents ont souvent tendance à focaliser sur la position assise, mais les bébés l'adoptent d'eux-mêmes dès qu'ils ont commencé à marcher à quatre pattes. Il est inutile de s'en inquiéter et de vouloir les y entraîner.

Vers le huitième et le neuvième mois, votre enfant s'assoit en général bien droit et avec suffisamment de fermeté pour être capable de se retourner et de se pencher en avant ou en arrière sans perdre son équilibre.

Votre bébé fait alors preuve d'un fort désir de se déplacer et d'explorer son environnement en toute indépendance. Sa nouvelle mobilité ne signifie pas pour autant que vous disposez de plus de temps pour vous : c'est même plutôt le contraire. Maintenant qu'il est capable d'atteindre une plus grande variété d'objets de petite taille, de les manipuler, de les explorer visuellement et de les porter à sa bouche pour les observer de façon tactile, il ne vous reste plus qu'à lui courir après en permanence.

Pour un bébé, tout ce qu'il peut attraper est un jouet et une curiosité. À vous de mettre hors de sa portée tout ce qui est fragile ou potentiellement dangereux. Inutile de vous inquiéter pour votre forme physique, votre tout-petit saura vous faire faire du sport !

À l'aventure !

Dans le chapitre précédent, votre bébé a appris à se dresser en prenant appui sur un meuble. Dans celui-ci, il s'agit de lui enseigner comment rester debout en s'appuyant sur une surface plane verticale, comment se déplacer en faisant de petits pas latéraux et, finalement, comment se pencher pour atteindre un jouet posé au sol. Il en tirera des informations sur la relation entre son corps et l'espace qui l'entoure.

Tout au long de cette activité, parlez à votre enfant de ce qu'il est en train de faire ; il apprendra ainsi à associer les mouvements qu'il effectue avec des concepts de base tels que « en haut » et « en bas », « ici » et « là-bas ».

Intégration sensorielle

Pratiquer régulièrement ce type d'activité en combinant des mouvements corporels grossiers et d'autres plus fins permet d'améliorer la conscience de l'espace chez l'enfant, qui gagne en coordination motrice ; celle-là même qui lui est nécessaire pour réussir plus tard à faire des mouvements fluides et précis.

Psst...

Ce dont vous avez besoin
Le jouet favori de votre bébé.

Capacités développées
Conscience de l'espace ; contrôle et équilibre du corps dans son ensemble.

1 Aidez votre bébé à se tenir debout et montrez-lui comment s'appuyer, mains à plat, contre le dossier d'un canapé ou un mur. Gardez vos mains tout près de lui lorsqu'il est debout, car il risque d'être un peu surexcité par le jeu et de perdre son équilibre.

2 Posez un jouet sur le côté, juste au-dessus du niveau de la tête de votre bébé, mais suffisamment loin pour qu'il soit obligé de faire quelques pas pour l'atteindre. Il finira par trouver un moyen de décaler son centre de gravité et de déplacer ses jambes latéralement l'une après l'autre pour atteindre l'objet de sa convoitise.

Les joies de la *jelly* anglaise

Procurez-vous de la gelée anglaise et laissez votre enfant jouer avec sur sa chaise haute ou, plus intéressant encore, par terre. Mettez la gelée sur un set de table en plastique, une plaque de four ou un miroir. Vous pouvez même installer votre tout-petit dans la baignoire ; le nettoyage sera plus facile, mais ce sera aussi très glissant.

L'objectif de cette activité est de stimuler autant de sens que possible chez votre bébé : celui-ci fera usage de son toucher, de sa vue, de son odorat et, bien sûr, de son goût. N'ayez crainte, votre enfant ne mangera pas la gelée. Ça colle, c'est sucré et bon, mais aussi quasi impossible à prendre dans ses doigts !

3 Placez ensuite le jouet au sol, à côté de votre enfant : il va essayer de l'atteindre et, ce faisant, il apprendra comment se pencher et baisser son corps, puis progressivement comment s'accroupir et se saisir de son jouet. Ensuite, certains enfants se remettront debout, tandis que d'autres s'assiéront ou partiront à quatre pattes avec leur trouvaille.

Double jeu

Alors que la position assise devient une posture plus fonctionnelle pour votre enfant – ce qui implique qu'il va rester plus volontiers assis pour jouer – il lui est de plus en plus facile de manipuler des objets avec ses deux mains. Avant, il jetait tout simplement un jouet s'il voulait se saisir d'un autre, mais à présent, il apprend à tenir plus d'un objet à la fois et est même parfois capable de transférer un jouet d'une main à l'autre.

Il contrôle mieux ses mains et sa dextérité s'améliore. Aussi va-t-il apprendre à coordonner plus efficacement son pouce et son index en les utilisant comme une pince. Ce type de mouvements délicats des mains est étroitement lié au développement du jeu chez le tout-petit. Cela affecte son développement cognitif : une fois qu'il est capable de saisir des petits objets, il peut les manipuler et analyser leurs différentes caractéristiques, ce qui lui permet de mieux comprendre comment fonctionne le monde autour de lui.

Intégration sensorielle

La capacité de votre enfant à tenir plus d'un objet à la fois, à en transférer un d'une main à l'autre et à en taper deux l'un contre l'autre implique la coordination des deux côtés de son corps. Pour ce faire, il a aussi besoin de contrôler avec précision les muscles de ses yeux afin de bien diriger son regard, de bien contrôler ses muscles en général, d'avoir parfaitement conscience de ses mains et de ses bras, ainsi que de jouir d'une coordination oculo-manuelle efficace.

Psst...

Ce dont vous avez besoin

Deux petits jouets similaires, comme des balles de ping-pong ou des cubes en bois.

Capacités développées

Maniement des objets ; dextérité manuelle ; coordination oculo-manuelle.

1 Asseyez votre bébé en face de vous. Prenez deux balles de ping-pong ou deux petits jouets presque identiques et placez-en un dans chacune de vos mains. Offrez-les, paumes ouvertes, à votre enfant et incitez-le à les prendre.

2 Observez votre bébé tandis qu'il s'attelle à cette tâche. Il ne prendra peut-être qu'une balle et la fera passer d'une main à l'autre, ou bien il prendra les deux, mais en jettera une immédiatement, ou encore il les prendra toutes deux et les frappera l'une contre l'autre. Il essaiera aussi probablement de les mettre dans sa bouche pour voir si elles sont dures ou molles.

3 Laissez votre tout-petit jouer avec les balles pendant un moment. S'il en laisse tomber une, ramassez-la et demandez-lui de la reprendre à nouveau dans votre paume. Une fois qu'il aura bien joué, tendez votre main vide et demandez-lui de vous rendre une balle. Il n'est jamais trop tôt pour commencer à lui enseigner les bonnes manières.

Panier découverte

Vous stimulerez la curiosité de votre enfant en plaçant des objets de différentes textures (doux, rugueux, froids, durs) dans un panier ou un récipient similaire. Votre petit mettra probablement certains de ces objets dans sa bouche : tenez-en compte en les choisissant. Le contact de certains objets sur sa langue ou ses mains lui paraîtra agréable, tandis que d'autres lui donneront une impression étrange. C'est tout l'intérêt de cette expérience. Les bébés ont tendance à vider rapidement le panier, mais il ne faut pas s'attendre à ce qu'ils remettent les choses en place ; ils n'en sont pas encore capables à cet âge. Cette activité est excellente pour mettre en relation des tout-petits entre eux. Il n'est pas rare qu'ils soient plus intéressés par le panier de leur voisin que par le leur.

La course d'obstacles

Votre bébé est de plus en plus mobile. De 8 à 9 mois, il est capable de marcher à quatre pattes dans différents types d'espace et il réussit de mieux en mieux à garder la tête baissée pour ramper sous les meubles. Certains enfants savent déjà grimper sur des objets qui se trouvent sur leur chemin, voire passer par-dessus. Ce travail d'exploration leur permet d'apprendre à contrôler leur corps dans différentes situations et positions.

Vous pouvez stimuler ces capacités en fabriquant un parcours d'obstacles pour votre bébé. Utilisez des objets courants tels que coussins, tabourets ou chaises. Il apprendra comment se déplacer dessus ou dessous et comment adapter ses mouvements en fonction de la taille de l'obstacle. Avec un peu de pratique, il sera rapidement capable de faire tous les types de parcours que vous saurez inventer.

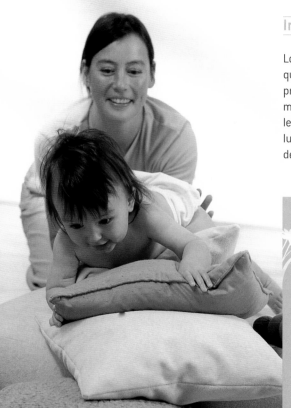

Intégration sensorielle

Lorsque votre bébé commence à marcher à quatre pattes, il apprend à organiser et à interpréter les sensations de pesanteur et de mouvement. La confrontation de ces sensations avec les informations que lui transmettent ses yeux lui permet de manœuvrer autour et au-dessus des obstacles.

Psst...

Ce dont vous avez besoin

Des chaises, des tables, des coussins et des oreillers : tout obstacle sur, sous ou par-dessus lequel votre bébé peut passer à quatre pattes ; son jouet favori.

Capacités développées

Exploration de l'espace à l'horizontale et à la verticale ; contrôle de l'ensemble du corps.

1 Placez votre enfant devant un grand coussin sur lequel vous aurez posé, hors de sa portée, son jouet favori. Pour l'atteindre, il sera obligé de s'allonger sur le coussin et d'y poser une jambe. Il y reportera ensuite le poids du haut de son corps et montera son autre genou. Une fois qu'il aura atteint son jouet, vous pourrez reprendre ce dernier et le poser au sol pour que votre petit apprenne aussi à redescendre de l'obstacle.

2 Fabriquez un court tunnel en posant un drap sur une chaise pour que votre bébé puisse circuler à quatre pattes dedans. Une fois qu'il aura compris comment faire, vous pourrez mettre deux ou trois chaises en rang pour allonger le tunnel. Essayez aussi de combiner une série d'obstacles afin de tester votre petit : utilisez votre imagination et complétez les étapes données sur ces pages. Ce n'est qu'un début !

Joueur de foot

Tenez votre bébé derrière un ballon de football ou de plage. Faites-le marcher dans sa direction et, quand il l'atteint, aidez-le à mettre un coup de pied dedans. Incitez-le ensuite à faire quelques pas supplémentaires pour le suivre et à shooter de nouveau dedans. Répétez l'exercice avec un ballon de taille différente, comme une balle de tennis, pour lui apprendre à adapter la force de son coup et la longueur de sa foulée.

À cet âge, votre enfant contrôle de plus en plus le bas de son corps, en particulier ses pieds. Il peut mettre un pied devant l'autre et marcher avec votre aide. Certains bébés se tiennent même debout sans qu'on les soutienne et essaient de faire quelques pas seuls.

Coucou

Les bébés de moins de 8 ou 9 mois ne saisissent pas encore complètement le concept de permanence. Pour le tout-petit, lorsqu'une personne sort d'une pièce, elle disparaît. Peu à peu, votre bébé comprendra que la réalité est plus complexe et il améliorera sa compréhension du monde.

Avec le jeu suivant, simple et très animé, vous pouvez l'aider sur cette voie en l'habituant à voir des visages ou des objets disparaître et réapparaître. Dans un premier temps, il faut placer les objets devant son bébé pour qu'il puisse les voir. Par la suite, il devient capable d'imaginer où ils sont, sans avoir à les voir.

Intégration sensorielle

Votre bébé apprend à interpréter le monde et, pour ce faire, il utilise les informations que lui transmettent tous ses sens. Cette activité l'empêche de faire usage de l'un d'entre eux, sa vue, de telle sorte qu'il doit se reposer sur les autres pour créer l'image mentale de son environnement. Lorsque vous retirez le drap qui le couvre et que la réalité confirme l'exactitude de cette image mentale, il comprend que les choses demeurent telles qu'elles sont, même s'il ne peut pas les voir.

Psst...

Ce dont vous avez besoin
Un drap, un foulard ou un grand morceau de tissu ; une radio ou un lecteur de CD.

Capacités développées
Conscience de la permanence des objets.

1 Asseyez ou allongez votre bébé par terre. Prenez un drap ou tout autre grand morceau de tissu et couvrez complètement votre bébé avec. La plupart des tout-petits adorent ce jeu, mais si le vôtre a peur, vous pouvez entrer avec lui sous le drap à plusieurs reprises avant d'essayer de l'y laisser seul.

2 Comptez jusqu'à trois et soulevez le drap en disant « coucou ! », puis couvrez de nouveau votre bébé. Répétez plusieurs fois l'opération. Votre petit comprendra vite le jeu et anticipera même peut-être en riant ou en gloussant à chaque fois que vous soulèverez le drap.

3 Cachez une radio ou un lecteur de CD sous une grande serviette devant votre bébé. Allumez la musique : il devrait aller la soulever pour voir d'où vient la mélodie. Ce petit jeu stimulera sa mémoire visuelle à court terme et ses capacités auditives.

Avec un bébé plus âgé

Lorsque votre petit grandit et n'éprouve plus d'anxiété quand vous vous séparez de lui, vous pouvez adapter cette activité et y inclure un jeu de cache-cache. Pendant qu'il est sous son drap, allez vous cacher tout près, derrière un mur ou une table. Laissez votre enfant se débarrasser seul de son drap et vous appeler, pour voir s'il réussit à trouver l'endroit où vous vous cachez. Surveillez-le toutefois du regard pour vous assurer qu'il ne peine pas à se libérer du drap ou qu'il n'est pas trop inquiet.

Humpty-Dumpty

À cet âge, votre bébé devrait commencer à contrôler parfaitement sa nuque, ses épaules et les muscles du bas de son dos. Cela l'aide à porter et à équilibrer son corps quand il essaie de saisir un objet en position assise. À 6 mois, quand il faisait ce genre de tentative, il avait sans doute tendance à perdre son équilibre et à basculer, alors qu'à présent, il peut compter sur ses muscles dorsaux et abdominaux, même s'il pose toujours une main au sol pour se tenir. Il est même parfois capable de se remettre en position assise après avoir attrapé son jouet.

Intégration sensorielle

Cette activité stimule une bonne appréhension du corps dans l'espace, améliore la façon dont l'enfant contrôle le haut de son corps, renforce les muscles du bas de son dos et lui enseigne comment observer visuellement un jouet depuis différents points dans l'espace. Elle implique une bonne planification motrice – c'est-à-dire la capacité d'imaginer comment réaliser les différents mouvements et actions nécessaires – de même qu'une réaction efficace du système vestibulaire apportant équilibre et coordination motrice.

Psst...

Ce dont vous avez besoin

Une serviette ou un tapis roulé en cylindre et suffisamment épais pour que votre bébé puisse s'y asseoir à califourchon ; son jouet favori.

Capacités développées

Contrôle des muscles du bas du dos ; aptitude à tendre la main vers un objet.

▲

1 Tenez votre bébé par la taille et aidez-le à rester assis à califourchon sur le tapis roulé. Posez un jouet par terre légèrement devant lui, puis aidez-le lorsqu'il se penche pour le ramasser. Pour ce faire, il devrait poser une main sur le rouleau, se pencher en avant et étirer son autre main pour prendre son jouet. Si ses muscles dorsaux et abdominaux sont suffisamment puissants, il pourra même se relever et retrouver sa position initiale sans aide.

▲

2 Placez maintenant le jouet un peu plus loin sur le côté. Pour l'atteindre, votre enfant devra se pencher très loin du rouleau. Observez comment il utilise ses deux mains pour s'équilibrer : celles-ci doivent reposer au sol pour lui permettre de tendre le bras vers le jouet et de s'en saisir. Ce n'est pas le cas quand il peut agir assis. Gardez vos mains autour de sa taille pour l'empêcher de tomber.

◄ **3** Lorsque votre petit atteint enfin son jouet, laissez-le avant toute chose l'observer, puis demandez-lui de vous le rendre. Cela lui apprendra à donner. Reprenez ensuite l'exercice de l'autre côté.

Pot-pourri

Collectez un petit nombre d'objets de textures très différentes, comme du coton, des balles, des pâtes, du bois, des noix, etc. Prenez des petites poches en tissu, comme celles dans lesquelles on met de la lavande ou du pot-pourri, et insérez un objet dans chaque poche. Laissez ensuite votre enfant prendre l'une d'elles et en vider le contenu. Ce jeu vous permettra de lui enseigner des concepts de base comme « dedans » et « dehors », « c'est lisse » et « c'est rugueux », « dur » ou « mou », « grand » ou « petit ». Observez ses réactions.

De 10 mois
à 1 an

Votre enfant est presque en âge de marcher. Il est maintenant capable de s'asseoir, de s'agenouiller, voire de se mettre debout sans prendre appui nulle part. Un spécialiste du développement infantile dirait qu'il est en train d'acquérir une plus grande maturité du contrôle postural.

Votre bébé marche probablement à quatre pattes dans toute la maison, monte et descend les escaliers et se met debout en prenant appui sur des meubles. Il se dresse sur la pointe des pieds pour se grandir et sur une jambe pour s'équilibrer. Il apprend à procéder aux fines adaptations nécessaires pour maintenir son équilibre dans l'action.

Plus votre petit rencontrera d'obstacles variés en se promenant dans votre maison, plus il sera habile face à de nouveaux grands défis moteurs, et plus il sera capable de résoudre les problèmes qui se présenteront à lui. Ne cherchez donc pas à tout lui rendre plus facile. Quelques petits obstacles sans danger sur son chemin ne lui feront pas de mal.

Face à eux, il apprendra à créer une image mentale de son environnement et à planifier ses mouvements en fonction des objets et des personnes présents.

À cet âge, votre enfant doit également être capable de manier de nouveaux jouets et objets avec beaucoup d'efficacité : il les prend facilement en main, expérimente différentes manières de les tenir, les utilise comme des outils et non simplement comme des jouets ou des objets sur lesquels il fait ses dents.

Donnez-lui le temps d'explorer et de s'acquitter seul des tâches simples plutôt que de l'encourager à compter sur votre aide en permanence. C'est en découvrant les objets de son environnement qu'il commencera à comprendre les concepts de « dedans » et « dehors », « ouvert » et « fermé », « dessus » et « dessous », etc. Cela l'aidera à résoudre des problèmes qu'il rencontrera dans la vie réelle : insérer des pièces de différentes tailles dans les bons trous, ouvrir des tiroirs, marcher à quatre pattes autour ou sous des obstacles. Un environnement en évolution permanente et stimulant l'encouragera à bouger, explorer et apprendre.

La tête la première

Dès leur plus jeune âge, les enfants éprouvent un grand plaisir à se pencher en arrière. Ce type de mouvement ouvre la partie antérieure du corps ; la circulation se fluidifie dans le ventre, la poitrine et les épaules, qui se détendent. En même temps, les muscles du dos se renforcent, ce qui aide l'enfant à garder de bonnes postures.

Les bébés de 10 mois ou de 1 an ne sont pas capables de faire le pont tout seuls. Néanmoins, vous pouvez faire ressentir ce mouvement à votre enfant, en le retournant de telle sorte qu'il ait la tête en bas et les pieds en l'air. Tant que vous procédez lentement et que le jeu reste facile et amusant, il devrait apprécier les joies de l'acrobatie et le sentiment d'apesanteur.

Intégration sensorielle

Votre bébé ressentira des sensations excitantes au moment où son système vestibulaire et son sens de l'équilibre réagiront au changement de position. Il les exploitera avec les informations visuelles transmises par ses yeux pour orienter son corps dans l'espace et découvrir comment il doit réagir.

Psst...

Ce dont vous avez besoin
Pas de matériel.

Capacités développées
Souplesse de la colonne vertébrale ; orientation dans l'espace.

1 Asseyez-vous à genoux sur vos talons. Allongez votre bébé sur le dos le long de vos cuisses et placez ses jambes autour de votre taille. Tenez-le, les pouces dans son dos à la hauteur de sa taille et les autres doigts sur son ventre. Souriez, riez et parlez-lui pendant toute l'activité afin qu'il se sente détendu.

2 Tout doucement, faites passer les jambes de votre bébé par-dessus sa tête. Veillez à lui laisser le temps de réaliser ce qu'il se passe. Vous devez faire cet exercice *avec* votre enfant et non le lui imposer. Il faut qu'il y participe active-ment pour en tirer un bénéfice. Ainsi, il devrait réagir à la position sens dessus dessous en rele-vant la tête et en tendant ses mains vers le bas pour la protéger.

Quelques bulles

Faites des bulles de savon pour votre bébé. Il sera fasciné par ces sphères flottant lente-ment dans l'air : cela stimulera sa capacité à suivre un objet du regard, ainsi que sa coor-dination oculo-manuelle quand il essaiera de les attraper. On vend des produits tout faits dans la plupart des magasins de jouets, mais vous pouvez vous-même fabri-quer votre liquide, si vous préférez. Pour 100 ml, mélangez 25 ml d'eau distillée, 1 à 2 cuillerées à café de sucre, 20 ml de liquide vaisselle, 10 ml de glycérine et de nouveau 40 ml d'eau distillée.

Voici une variante un peu plus salissante : remplissez la petite baignoire de votre enfant d'eau tiède et versez-y beaucoup de bain moussant pour bébés. Asseyez votre petit en face du bac sur vos genoux, suffi-samment haut pour qu'il puisse atteindre l'eau et jouer avec pendant que vous souffle-rez sur les bulles du bain.

Baby gym

Votre bébé adore les contacts corporels et il en a besoin. Vous êtes encore l'un de ses « meubles » préférés, sur lequel il peut prendre appui pour se hisser debout, et aussi l'un des plus efficaces. En effet, vous pouvez réagir activement et le guider dans ses tentatives de mouvements. Alors, pourquoi ne pas jouer les agrès ? Pour lui, c'est un excellent exercice que de vous grimper dessus.

Faire varier les positions de votre enfant le rendra plus fort et plus souple et améliorera sa coordination – aptitude qu'il est nécessaire d'acquérir pour se déplacer librement dans l'espace. En vous « escaladant », il apprendra à contrôler ses mouvements et à déplacer son centre de gravité pour équilibrer le haut de son corps. Ce contact physique sain renforcera le lien qui vous unit, tandis que les efforts à fournir constitueront un défi que votre bébé relèvera avec joie.

Intégration sensorielle

Le contrôle et la coordination dont votre bout de chou a besoin pour orienter et manœuvrer son corps dans l'espace dépendent de sa capacité à organiser et interpréter les signaux envoyés par ses systèmes proprioceptif, vestibulaire et visuel, de même que de sa conscience de la gravité et de ses propres aptitudes. Comme pour tout ce que votre enfant fait à cet âge, la meilleure manière pour se perfectionner est simple : s'exercer, s'exercer et s'exercer encore !

Psst...

Ce dont vous avez besoin
Un des jouets favoris de votre bébé.

Capacités développées
Mobilité et contrôle du corps.

1 Allongez-vous au sol sur le flanc, votre bébé derrière vous. Placez l'un de ses jouets favoris devant vous de sorte qu'il puisse le voir. Bougez-le un peu pour attirer l'attention de votre enfant et encouragez-le à passer par-dessus vous pour l'atteindre.

2 Pour ce faire, toutes sortes de mouvements sont possibles, mais le mieux serait qu'il se dresse en position debout avant de grimper sur vos hanches et de passer par-dessus. Au moment où il vous « escalade », il devrait poser ses mains au sol pour supporter la plus grande partie de son poids et protéger sa tête. Il ne lui restera alors plus qu'à se traîner pour atteindre le jouet. Répétez cette activité jusqu'à ce que votre enfant puisse la faire sans perdre l'équilibre.

Vive la musique !

La musique est un excellent moyen pour apprendre à votre enfant à mieux différencier les sons et à avoir un meilleur rythme. Remplissez à moitié deux petites bouteilles en plastique avec du riz ou des haricots secs et collez-en les bouchons pour que votre bébé ne puisse pas les retirer. Vous le laisserez d'abord observer ces instruments avant de lui montrer comment les secouer et de l'autoriser à vous imiter. Puis mettez un CD de musique entraînante et secouez les bouteilles en suivant le rythme. Ce jeu bruyant stimule aussi le développement de la coordination oculo-manuelle et la motricité fine.

L'exploration

À la fin de sa première année, votre enfant va exploiter ses capacités cognitives pour planifier et évaluer ses mouvements. Il ne sera pas seulement capable de surmonter des obstacles pour atteindre l'objet ou la personne de son choix, il pourra aussi se procurer des objets par des moyens encore plus indirects.

Dans l'activité proposée ci-après, le bébé passe d'une position assise à la marche à quatre pattes, puis à la position debout, se hissant en prenant appui sur une table basse dont il va faire le tour. C'est l'occasion de tester sa capacité à changer de position et à s'approcher d'un objet désiré de façon indirecte, par un chemin détourné. Laissez votre enfant réfléchir seul à son approche. L'objectif de cet exercice n'est pas seulement qu'il fasse les mouvements nécessaires pour obtenir son jouet, mais aussi et surtout qu'il apprenne à trouver une solution à un problème donné.

Intégration sensorielle

Cette activité demande de bonnes réactions posturales et capacités visuelles, ainsi qu'une planification motrice efficace. Elle apprend à l'enfant à réagir à une situation en l'évaluant, en prenant une décision et en agissant en conséquence. En outre, elle stimule l'acquisition de capacités cognitives plus complexes.

Psst...

Ce dont vous avez besoin
Une table basse ou un meuble similaire ; un des jouets favoris de votre bébé.

Capacités développées
Mobilité et contrôle du corps ; conscience de l'espace ; résolution de problèmes.

1 Asseyez votre enfant par terre à environ 2 m d'une table basse. Mettez-vous debout de l'autre côté de la table et montrez-lui l'un de ses jouets favoris. Il devrait se mettre à marcher à quatre pattes dans sa direction.

2 Votre bébé va marcher à quatre pattes jusqu'à la table, se hisser debout et tendre la main pour essayer d'atteindre son jouet. Lorsqu'il comprendra qu'il ne peut pas y aboutir au travers de la table, il aura probablement besoin d'un peu de temps pour trouver que le moyen d'obtenir ce qu'il veut est de faire le tour de la table. Il perdra peut-être l'objet de vue pendant un moment ou se montrera troublé, mais avec un peu de détermination, il devrait y parvenir.

ATTENTION !

Bien que votre enfant soit maintenant très agile, il ne sait toujours pas comment faire usage de son corps en toute sécurité. Si vous devez vous assurer qu'il ne se cogne pas la tête et lui éviter toute blessure grave, résistez toutefois à la tentation de trop intervenir. Il doit en effet faire l'expérience désagréable des petits accidents, sinon il n'apprendra jamais à évaluer avec lucidité les risques qu'il encourt.

Les textures

Le sens du toucher joue grandement sur la capacité de l'enfant à comprendre le monde qui l'entoure. Le bébé fait usage de ses mains pour atteindre et saisir les objets afin d'avoir une idée de leur taille, de leur forme et de leur texture. Mais pourquoi devrait-il n'utiliser qu'elles ?

Les exercices d'intégration sensorielle font participer le corps dans son ensemble : votre bébé sera ravi d'offrir aussi à ses pieds une stimulation tactile.

Cette activité lui permettra d'expérimenter divers types de textures et de sensations tactiles et, en même temps, de pratiquer la marche. Ensuite, vous pourrez toujours l'asseoir pour qu'il utilise ses mains. C'est en faisant des essais et des erreurs que l'enfant apprend à orienter son corps en direction d'un objet, à décaler son centre de gravité dans la bonne direction et à contrôler ses postures de manière à pouvoir exécuter les gestes nécessaires pour atteindre son objectif.

Intégration sensorielle

Votre bébé apprendra ici à explorer le monde qui l'entoure en utilisant simultanément ses sens et sa capacité de mouvement. Marcher sur les carrés, comme se pencher pour les ramasser et passer sa main dessus, implique que ses yeux enregistrent des informations visuelles et que ses mains et ses pieds enregistrent une stimulation tactile. À présent, votre tout-petit recherche activement ce type d'informations et va, pour ce faire, se concentrer sur les textures qui l'intriguent le plus.

Psst...

Ce dont vous avez besoin
Des matériaux de différentes textures ; des carrés de carton épais.

Capacités développées
Mobilité ; contrôle du haut du corps ; aptitude à tendre la main vers un objet.

1 Collez des matériaux de différentes textures sur des carrés de carton épais, en vous limitant à une texture par carré. Vous pouvez utiliser des tissus, des plumes, des morceaux de mousse, du sable, du plastique, etc. : tout ce qui présente une matière particulière et sans danger. Ensuite, installez les carrés au sol pour former une sorte de chemin de dalles.

2 Mettez votre enfant debout, pieds nus, devant le premier carré. Tenez-lui les mains à hauteur des épaules et légèrement en avant. Puis guidez-le de sorte qu'il marche de carré en carré et sente les différentes textures sous la plante de ses pieds.

3 Laissez-lui le temps de bien prendre conscience des sensations qu'il ressent, de s'arrêter, voire de retirer son pied, s'il le souhaite. Certaines textures peuvent lui paraître si intéressantes qu'il s'accroupira pour mieux les découvrir.

4 Mettez votre enfant à quatre pattes au milieu des carrés. De cette manière, il apprendra à tendre la main vers un objet et à le saisir, quelles qu'en soient la taille et la texture. Expliquez-lui ce qu'il sent pendant l'activité, afin qu'il se familiarise avec des mots comme « rugueux », « lisse » ou « doux ».

Pieds nus...

Ne soyez pas trop pressé de couvrir les pieds de votre bébé avec ses premières chaussures. Jouer pieds nus est pour lui un excellent moyen de se muscler et d'entrer en contact avec son environnement. En réalité, il n'aura probablement besoin de chaussures que lorsqu'il saura marcher avec assurance depuis au moins quatre à six semaines.

Pris au piège !

Votre enfant est devenu très agile : il fait usage de sa mobilité pour explorer son environnement et interagir avec. L'objectif de cette activité est d'observer comment il s'y prend pour résoudre un problème donné. Il va se retrouver à l'intérieur d'une sorte d'enclos tandis que vous et son jouet vous trouverez à l'extérieur. La question, c'est : comment va-t-il s'y prendre pour vous rejoindre ? Vous vous rendrez probablement compte que votre enfant tire autant de satisfaction de son interaction avec les obstacles – quand il baisse la tête sous les chaises ou quand il les pousse – que de sa victoire lorsqu'il réussit à les passer. L'activité suivante stimule la communication, la mobilité et la capacité à résoudre des problèmes, autant d'aptitudes déterminantes pour le développement de votre enfant à cet âge.

Intégration sensorielle

Changer de position et se déplacer parmi différents obstacles demande une bonne coordination, des réactions posturales adéquates et une planification motrice efficace de la part de votre enfant. Plus les situations auxquelles il sera confronté seront variées, plus il sera à même, ensuite, d'assimiler les informations sensorielles qu'il reçoit au quotidien et d'y réagir.

Psst...

Ce dont vous avez besoin
Quatre chaises de cuisine ou de salon ; un des jouets favoris de votre bébé.

Capacités développées
Aptitude à résoudre un problème ; mobilité et contrôle du corps ; conscience de l'espace.

1 Installez quatre chaises de façon à former un carré avec les dossiers ou les sièges : l'important est de créer une sorte d'enclos dans lequel votre tout-petit a assez d'espace pour se mouvoir. Placez-le à l'intérieur.

2 Attirez son attention avec un jouet et essayez de faire en sorte qu'il grimpe sur les chaises ou passe en dessous ou entre celles-ci. Quelle que soit la technique choisie par votre enfant pour s'échapper, récompensez-le. Et s'il s'énerve parce qu'il ne parvient pas à sortir de sa « prison », montrez-lui comment faire, puis remettez-le dans le carré de départ pour lui donner une chance de parvenir à en sortir seul.

Si on jouait à chat ?

Votre bébé est devenu un expert de la marche à quatre pattes. Il sait avancer, reculer et se déplacer latéralement vers la droite et la gauche. Il est également capable d'adapter rapidement son corps à une situation nouvelle. Il est donc grand temps pour vous de vous mettre aussi à quatre pattes et de le prendre en chasse ! Serez-vous capable de tenir son rythme ?

Agenouillez-vous au-dessus de votre enfant et faites rouler un ballon devant vous, de sorte qu'il se retrouve à bonne distance. Dès qu'il se précipite vers le ballon, mettez-vous à courir après lui à quatre pattes et bloquez-lui le passage avec vos bras pour le forcer à changer de direction. Faites-le dans un esprit d'amusement : il devrait relever le défi avec joie.

Index

Index des activités

Les noms des activités proposées sont indiqués en gras.

Index des capacités développées

Remerciements

Je dédie ce livre à ma fille, Anne-Catherine, avec laquelle j'ai découvert les plaisirs du PEKiP (Programme praguois Parents-Enfants), à mon fils Lukas, qui m'a fait réaliser tout l'intérêt d'importer ce programme à Hong Kong, et à mon mari, Andreas, qui m'a soutenue dans tous mes projets.

Merci aussi à Virginia Sheridan qui a su interpréter mon travail et mettre ses dons d'écriture au service de ce projet. Elle a fait un excellent travail. Toute ma gratitude également à Rachel Aris, qui a suivi mes cours avec sa fille Hannah, a lu mon manuscrit, l'a corrigé avec soin et m'a encouragée à le présenter à Carroll & Brown. Enfin, je dois aussi beaucoup à Amy Carroll et Tom Broder pour leur révision finale, et à tous les magnifiques modèles, petits et grands.

Un grand merci en particulier aux papas, mamans et bébés : Harriet et Jasmine, Fiona et Sadie, Deborah et Emily, Kaya et Jolie, Shiela et Connor, Sandrine et Mila, Greta et Naomi, Tamar et Mio, Ayiesha et Morgan, Samantha et Luca, Laura et Mala, Sly et Jermaine, Jayne et Dalia, Josephine et Jed, Sophy et Lily, Sarah et Ben, Mary-Ann et Samuel, Evie et Anthony, Dagmar et Nora, Caroline et Isabelle, Claire et Luca, Leo et Teague, Kareen et Antwan.

Parents // Enfants

Une collection pratique et pleine de bon sens qui répond de manière claire et détaillée aux interrogations des parents.

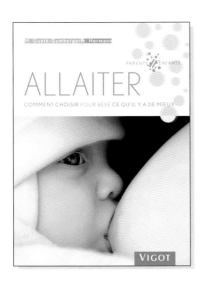

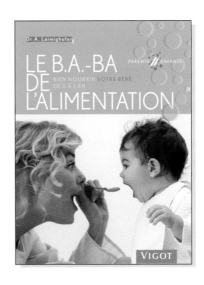

Si vous comprenez l'anglais, n'hésitez pas à vous rendre sur le site de l'auteur : www.pekip.com.hk

Avertissement
Ce livre a été rédigé au terme de recherches et de vérifications minutieuses. Toutefois, c'est au lecteur et à lui seul de décider de suivre les informations et conseils donnés. L'auteur et l'éditeur déclinent toute responsabilité concernant toute gêne, perte ou risque encouru qui pourrait être considéré comme la conséquence directe ou indirecte de l'utilisation et/ou de l'application du contenu de cet ouvrage, ni bien sûr en cas d'interprétation erronée.

Traduit de l'anglais par Hélène Tallon

Conception graphique et réalisation de l'édition française : Les PAOistes

Photographies : Jules Selmes, Trish Gant
Sauf p. 26 : George Doyle/Stockbyte/Thinkstock ; p. 38, 90, 104 et 118 : Hemera/Thinkstock ;
p. 58 et 72 : iStockphoto/Thinkstock
Photographie de couverture : Jupiterimages/Goodshot/© Getty Images/Thinkstock

Pour l'édition originale parue sous le titre *Baby fun* :
© 2006, Carrol & Brown Limited, 20 Lonsdale Road, Queen's Park, London NW6 6RD, Royaume-Uni.
Pour le texte :
© 2006, Anne Knecht-Boyer.

Pour la présente édition :
© 2010, Éditions Vigot, 23, rue de l'École-de-Médecine, 75006 Paris, France.

ISBN : 978-2-7114-2061-2
Dépôt légal : avril 2010

Achevé d'imprimer en France par l'imprimerie Chirat.